“十二五”普通高等教育本科国家级规划教材

21世纪汉语言专业规划教材

专业基础教材系列

现代汉语

（第三版）

下册

黄伯荣　李　炜　主编

刘街生　林华勇　主持修订

图书在版编目 (CIP) 数据

现代汉语．下册 / 黄伯荣，李炜主编．-- 3 版．北京：北京大学出版社，2025.6. -- (21 世纪汉语言专业规划教材). -- ISBN 978-7-301-36045-3

Ⅰ. H109.4

中国国家版本馆 CIP 数据核字第 2025KQ7573 号

书　　名	现代汉语（第三版）下册 XIANDAI HANYU（DI-SAN BAN) XIACE
著作责任者	黄伯荣　李　炜　主编
策　　划	杜若明
责任编辑	唐娟华
标准书号	ISBN 978-7-301-36045-3
出版发行	北京大学出版社
地　　址	北京市海淀区成府路 205 号　100871
网　　址	http://www.pup.cn　　新浪微博：@ 北京大学出版社
电子邮箱	zpup@pup.cn
电　　话	邮购部 010-62752015　发行部 010-62750672 编辑部 010-62767349
印 刷 者	河北博文科技印务有限公司
经 销 者	新华书店 650 毫米 ×980 毫米　16 开本　15.25 印张　227 千字 2012 年 3 月第 1 版　2016 年 1 月第 2 版 2025 年 6 月第 3 版　2025 年 6 月第 1 次印刷
定　　价	56.00 元（含数字教材）

第二版修订委员会

中山大学：李　炜　刘衔生　林华勇
　　　　　杨敬宇　杨泽生　吴吉煌
暨南大学：匡小荣　李丹丹

第三版修订委员会

中山大学：刘衔生　林华勇　杨敬宇
　　　　　杨泽生　吴吉煌
暨南大学：匡小荣　李丹丹

内容简介

本教材根据教育部制订的“现代汉语教学大纲”编写，分绪论、语音、文字、词汇、语法、修辞六章，是一套着力解决国内多数高校现代汉语课程容量与课时量不相匹配这一突出问题的教材。教材主体内容分为两个部分，前一部分是现代汉语课程最基础、最核心的内容，便于师生在有限的课时内教授和掌握系统的现代汉语知识；后一部分是“课程延伸内容”，供课时充裕的情况下全讲或选讲，以满足各类院校对现代汉语课程教学安排的不同需求。前一部分配有“复习与练习”，复习题用来巩固所学的知识要点，练习题重在训练分析语言事实、解决具体问题的能力。多数“课程延伸内容”附有“思考与讨论”，供有兴趣的学习者深入思考，拓宽视野。

本教材是黄伯荣先生半个多世纪以来编写各类现代汉语讲义、教材经验的结晶，融汇了黄伯荣先生母校中山大学及相关院校教师的研究实力和教学智慧，是一本既注重系统性和科学性，又强调简明性和实用性的全新现代汉语教材。

第三版前言

本教材第一次修订至今已九年了。为切合教学要求，在认真总结教材使用中遇到的问题、深入研讨读者的意见之后，我们对本教材进行了第二次修订。

本次修订工作主要包括：(一)根据新的政策文件调整了有关表述，删去了实用性低的两个附录；(二)更新了必要的数据，对个别不够准确的表述作出改动，更换了一些用例，使之更为贴切；(三)对主谓谓语句的核心框架分析进行了微调；(四)特别注重纸质教材与数字资源的相互配合，增加了教学慕课、电子课件、习题等配套数字资源，并在北京大学出版社数字平台"博雅云学堂"上全面推出。

参加本次修订工作的有：刘街生、林华勇、杨敬宇、杨泽生、李丹丹、吴吉煌、匡小荣，他们都参与了第一次的修订。

悠悠九载，倏忽竟过。第一次修订时，黄伯荣先生去世；本次修订时，李炜先生也离开了我们。修订工作完成之际，我们深切缅怀两位主编黄伯荣先生和李炜先生，也深感责任重大。我们将不忘初心，继续努力，为使用者提供一部好的适用的教材。

编者

2025 年 1 月

第一版前言

本教材的编写宗旨是要编一部除了适合中文专业外，还能适合多种专业使用的基础课教材，让课时多的专业和课时少的专业都能适用。我们的做法是把现代汉语基础课的整体内容分为前文和后文两大部分，前文讲现代汉语课程必须掌握的基础知识、基础理论和基本技能；后文叫“课程延伸内容”，是深层次的或较新的“三基”内容。课时少的专业可以只讲前文，把后文作为重要参考资料，指导学生自学。课时多的专业可以选讲后文中适合本专业的内容，可以全讲甚至增加与本专业有关的专业知识点。本教材这样做既能突出课程重点，又方便教师用一部教材教授不同专业、不同层次的学生，而不必因教授对象的不同而使用不同的教材，做不同的教案，这也节约了备课的时间。

本教材编写贯彻的原则是简明性、实用性、科学性、系统性。我们把简明性放在首位，对每一段每一句每个字反复推敲。核心的、必学的基础知识放在前文，突出重要规律，并用最简要、最易懂的语言加以说明，寓科学性于平实的说理之中，深入浅出，易学易记易操作。教材引例具有时代感，贴近生活，能吸引读者。教材也注重科学性，注重吸收成熟的科研成果，包括编者们自己的研究成果。教材还注重系统性，其系统是依据当代语言事实、立足现代汉语本位的系统。

本教材的编写大致可分两个阶段。

从 2010 年初到 2011 年 7 月为第一阶段，组建编者队伍，在主编的统一安排下分头编写，起稿编者共有 16 人，分工如下：

绪论章　占勇（深圳大学），李炜（中山大学）

语音章　杨敬宇、邓小宁（中山大学）

文字章　李蕊、范常喜、杨泽生（中山大学）

词汇章 王东海(鲁东大学),李丹丹(暨南大学)

语法章 黄伯荣(中山大学中文系兼职教授),刘街生、林华勇、李炜(中山大学),戚晓杰(青岛大学),陈长书(山东师范大学)

修辞章 盛永生、匡小荣(暨南大学)

第一稿写出后,由同一章的执笔者交换审改,形成第二稿。第二稿经不同章的起稿编者互相交叉审改,并经第一主编逐字逐句反复修改,形成第三稿。接着召开了一次征求意见的会议,会议名为“全国高等院校现代汉语、语言学纲要教材教法研讨会暨黄伯荣先生九十华诞庆典”,由中山大学中文系和北京大学中国语言学研究中心联合主办。在这次会议上,本教材编写组向来自全国70余所高校的与会代表介绍了教材第三稿的编写情况并征求意见。这次会议之后,开始了本教材编写的第二阶段。

2011年8月至2012年2月为第二阶段。由第二主编李炜召集并主持在广州的11名起稿编者在中山大学中文堂开了上百次教材的研讨、编写会。编者们严格按照既定的简明性、实用性、科学性和系统性的原则,逐字逐句反复研讨最后形成一致看法,不少内容是在会议期间重写的,每写完一部分就及时呈交第一主编审阅、修改,反馈后再通过集体研讨形成第四稿。

出席研讨、编写会的编者有:李炜、刘街生、杨泽生、林华勇、杨敬宇、匡小荣、范常喜、邓小宁、盛永生、李丹丹、吴吉煌。工作秘书先后有:和丹丹、石佩璇、刘亚男。

接着我们把第四稿分别送给特约审稿和审订专家审改,收到意见后又反复讨论修改,最终定稿。

本教材整个编审人员队伍由三部分组成。第一部分是上面说到的16名执笔者,除第一主编,其他编者都是拥有“黄廖本”教材教学经验的中青年学者和教师。第二部分是特约审稿王勤(湘潭大学)、林端(新疆大学)、刘小南(哈尔滨师范大学)、邵霭吉(盐城师范学院),他们是黄廖本的老编者。第三部分是特邀的审订专家陆俭明(北京大学),冯志伟(教育部语用所),黎运汉(暨南大学),傅雨贤、陈炜湛(中山大学),张志毅、张庆云(鲁东大学)。

本教材的顺利完成，有赖于第一主编半个多世纪以来编写现代汉语教材的丰富经验和全身心的投入，有赖于科学严谨的反复审改的编写方式，还有赖于中山大学中文系的全方位支持，可以说，中山大学这一平台是本教材顺利诞生的基本保障。

最后，我们要向特邀审订专家表示诚挚的谢意，希望大家继续关心并支持本教材的不断改进和完善。我们也期待热心教材建设的同行们和读者们的指正。

编者

2012年2月

第二版前言

本教材自2012年3月出版以来，受到各方使用者的欢迎，至今已第5次印刷。2014年，本教材列入"'十二五'普通高等教育本科国家级规划教材"，三联书店（香港）有限公司出版了繁体字版。中国盲文出版社拟出版本教材盲文版。三年取得这样的进展，编者们欣慰之余也感到肩上的责任更大。

第一主编黄伯荣先生生前一再教导我们：一部好的教材一定要根据实际情况不断修订、不断完善，这项工作永无止境。我们牢记先生的教导，对三年来现代汉语课堂教学实践中遇到的问题和读者所提的意见进行了认真的总结和深入的研讨，择其善者而从之，在此基础上对本教材进行了第一次正式修订。

参加这次修订工作的编者有：李炜、刘街生、林华勇、杨敬宇、杨泽生、李丹丹、吴吉煌、匡小荣。这八名编者都在2011年8月至2012年2月期间参加了在中山大学中文堂411会议室召开的上百次教材编写研讨会。他们也是辅助教材《现代汉语学习参考》的编写者。

在那一轮百次编写研讨会期间，黄伯荣先生全程督导，编定的内容均于当天以电子邮件方式发给黄先生，先生必会在两三日内反馈最后意见。遗憾的是，今天的修订工作已无法得到他老人家的指导。我们将一如既往地坚持先生为本教材所定的"四性"（简明性、实用性、科学性、系统性）原则，不断提升教材的质量，努力实现黄伯荣先生现代汉语教材改革的理想。

编者

2015年4月

目　录

第五章　语法

第一节　语法概说

一、什么是语法

语法是语言中词、短语和句子的结构规律。 语素组成词，词组成短语，短语或词组成句子，都是有组合规律的。

"语法"这一术语有两个意思：一是指客观存在的语法规律，二是指对客观存在的语法规律进行描写、解释的科学，即语法学。先看下面的例子：

学点儿语法，就可以少犯语法错误。

这句话里的前一个"语法"指的是语法学，后一个"语法"指的是客观的语法规律。

我们大多数人没有学过语法知识，但也会造出合乎语法规律的句子，还会纠正别人的语法错误。为什么？这是因为我们在学习使用本族语的过程中，已经不知不觉地掌握了组词造句的规则。试写出"不、小王、水、喝"四个词，排成下面的序列：

① * 不水小王喝。

② * 小王喝不水。

③ * 小王不水喝。

④ * 水不喝小王。

拿去问几个小学生，成不成句？他们肯定会说都不成句。你叫他们用上面四个词造句，他们会造出后面例⑤的句子。为什么？因为他们从小学话，脑子里养成了⑤a 的语义框架。他们会不约而同地造出完全相同的、合乎语法规律的句子，而不会造出例①—④的句子。

⑤ 小王	不	喝	水。	
a. 施动者	否定	动作	受动者	(语义框架)
b. 名词	副词	动词	名词	(词类序列)
c. 主语	状语	核心动词	宾语	(句型框架)

虽然他们不懂哪个是名词、主语,副词、状语,不知名词常做主语和宾语、副词常做状语等语法规律,但他们会遵守这些规律,造出合乎语法规律的句子。例④和例⑤b、c的词类序列和句型框架都相同,但两者语义框架不同,例④的"水"不能充当施动者这种语义角色,"小王"不是受动者这种语义角色,所以小学生不会造出例④这样不合语义要求的句子。

二、语法的性质

语法具有抽象性、稳固性和民族性的特点。

(一) 抽象性

语法不研究某个词语或句子的具体含义,而是研究从无数的词语和句子中抽象出来的结构规律。例如汉语里有词的重叠现象,如"听听、想想、参观参观、研究研究",由此可得出这样一条词形变化规律:有些动词可以用重叠来表示动作行为的短时或少量。又如汉语中有"色彩鲜艳。""阳光明媚。""目标远大。""态度友好。"这样一些句子,它们意思各异,但结构都是"主语+谓语",谓语都由形容词充当。

一种语言里面,词语数量庞大,句子难以计数,但可以概括出来的格式和结构规律却是有限的。正因为有了语法,人们才可以根据有限的格式和结构规律进行类推,从而有效地学习和使用语言。儿童学习语言就是这样的。当他学会了"我吃糖。"(主动宾)之后,慢慢地也会说"我吃梨。""我吃苹果。"或者"你吃糖。""妈妈吃糖。"这样一些句子。外国人学习汉语亦同此理。当他懂得"主语+是+宾语"这一格式,就可以造出"我是学生。""你是老师。""他是山东人。"这样的具体句子。

(二) 稳固性

任何事物都在不断发展变化,语法也不例外。但是和语音、词汇的变化相比较,语法要缓慢得多。好多语法规则千百年都没改变。如汉语的主语在谓语之前、修饰语在中心语之前的结构规律，从三千多年前的甲骨文（如“王出”“王今夕宁”）到今天的现代汉语，就一直没变。一些规则的衰亡也经历了一个漫长的过程，如古汉语的判断句最初是不用判断词的（如“伍子胥者，楚人也”），后来慢慢演变成用判断词（如“妾是公孙钟鼎女”），但到了现代汉语还有不用判断词的情况存在（如“小王，广州人”）。新的语法规则也是逐渐产生出来的，如：“作为中文系的学生，我一定要学好现代汉语。”“出国留学不能也不应该成为唯一的选择”中“作为……”“不能也不应该……”的说法，在五四运动后才慢慢在书面语中运用开来。

（三）民族性

每种语言都有自己的语法系统，彼此有同有异，“异”往往就体现出民族性。如汉语的“两个苹果”，英语说 two apples。两者有相同之处，数词都在名词前。不同之处是汉语的数词、名词中间要加量词，英语则不需要；英语名词复数大多加“s”，即有单复数的形态变化，而汉语则没有。就语序来看，不同民族语言表达同一意思，词的顺序可以有所不同。如汉语说“两本书”，傣语说“书两本”；汉语说“我写信”，日语说“我信写”。这些都是语法民族性的体现。从中外语言对比中，可以进一步认清汉语的语法事实，找出汉语语法的特点。

三、语法单位、词类和句法成分

（一）语法单位

语法单位是有语法意义的、受语法规律支配的音义结合体。语法单位主要有四种：语素、词、短语、句子。

语素是语言中最小的音义结合体，有的可以单独成词，有的要和别的语素组合才能成词。

词由语素构成，是语言中能够独立运用的最小的音义结合体。

词和词按语法规则组合成短语。简单短语可以组成复杂短语。

短语或词加句调可形成单句。复句由失去完整句调的一些单句组成，复句内的单句叫作分句。如“你去。”是单句；“我就去。”也是单句；如果说成“你去，我就去。”这就是复句了。单句和复句都是句子。

句子是具有一个句调、能够表达一个相对完整意思的语言单位，是最大的语法单位。

语素、词、短语是语言的备用单位，为静态单位。单句和复句都是语言的运用单位，为动态单位。

(二) 词类

词类是词的语法分类，分清词类是学好汉语语法的关键。现代汉语的词可以分成14个类。

这里把词类划分的结果及例词列举如下：

表5-1 词类划分及例词

	词类	例词
实词	1. 名词	学生、网络、北京、春天
	2. 动词	抬、来、学习、休息
	3. 形容词	高、快、漂亮、绿油油
	4. 区别词	男、女、慢性、急性
	5. 数词	一、十、百、第二
	6. 量词	个、条、次、趟
	7. 代词	你、谁、这、那
	8. 副词	不、就、已经、非常
	9. 拟声词	啪、嘀嗒、哗啦啦、叮叮咚咚
	10. 叹词	唉、哦、哎呀、哎哟
虚词	11. 介词	把、在、自从、对于
	12. 连词	和、或、因为、如果
	13. 助词	的、着、所、似的
	14. 语气词	吗、呢、嘛、吧

(三) 句法成分

句法成分是句法结构的直接组成成分。它是按照句法结构内部组成单位之间的语法结构关系确定的。下面对主语、谓语、动语、宾语、定语、状语、补语、中心语等八种句法成分作简要的说明。

1. 主语和谓语 主语是谓语陈述的对象，在谓语前边，回答“谁”“什么”等问题。谓语是对主语加以陈述的，在主语后边，表示主语“做什么”“是什么”“怎么样”。主语、谓语之间为主谓关系。例如：

① 大学生‖在打排球。

② 鲸鱼‖是鱼吗？

③ 孩子们的生活‖多幸福！

2. **动语和宾语**　动语是支配、关涉后面宾语的成分。宾语是被动语支配、关涉的对象，在动语后回答“谁”“什么”之类的问题。动语和宾语之间为动宾关系，如“看书”“抱着一个小孩”。

3. **定语和中心语**　定语是名词性短语里中心语前面的修饰、限制成分。定语和中心语之间为定中关系，如“（辽阔）的草原”“（语法）作业”。“辽阔”“语法”是定语，“草原”“作业”是中心语。

4. **状语和中心语**　状语是动词、形容词性短语里中心语前面的修饰、限制成分。状语和中心语之间为状中关系，如“[慢慢]地走”“[非常]漂亮”。“慢慢”“非常”是状语，“走”“漂亮”是中心语。

5. **中心语和补语**　补语是动词、形容词性短语里中心语后面的补充成分。补语和中心语之间为中补关系，如“高兴得〈手舞足蹈〉”“打扫〈干净〉”。“手舞足蹈”“干净”是补语，“高兴”“打扫”是中心语。

中心语是被修饰、限制、补充的成分，它和定语、状语、补语分别发生定中关系、状中关系和中补关系，所以中心语可分成定语中心语、状语中心语和补语中心语。

下面通过对一个句子的分析，说明上面八种句法成分是成双配对、共存共现的，而且各自的位置是前后固定的。

④ 新　同学　都　办　完　了　入学　手续。

新	同学	都	办	完了	入学	手续。	
主语		谓语					第一层　主谓关系
定语	中心语	状语	中心语				第二层　定中、状中
			动语		宾语		第三层　动宾关系
			中心语	补语	定语	中心语	第四层　中补、定中

复习与练习(一)

一、复习题

1. 什么是语法？

2. 简述语法的性质。

3. 谈谈四级语法单位之间的关系。

二、练习题

分析下列句子的句法成分。

(1) 牙齿常咬破舌头。

(2) 他们都是好朋友。

(3) 小李昨天借走了阅览室的杂志。

【课程延伸内容】

语法学与语法体系

一、语法学

传统语法学把语法分成词法和句法两个部分:词法研究词的分类、词的构成和词形变化;句法研究短语、句子的结构规律和类型。新兴的语法学说认为,语法不光要研究词法和句法这些表层结构形式,还要揭示它们深层的语义关系、语义特征、语义指向等,同时还要探究使用语句的语言环境和说话者的主观意图跟语法的关系,等等。也就是说,要从句法、语义和语用三个方面寻找和说明语法规律,由此拓宽了语法研究的领域,使语法研究更加深入、全面,对语法事实的解释力更强,对指导语言的运用更有帮助。

由于研究的对象、方法和目的不同,语法学可以有不同的分类。

从研究对象看,有历时语法和共时语法等。历时语法是用历史的观点对语法不同时期的发展演变进行动态考察,由此写成语法史;共时语法是对相对静止的某一时期的语法作断代的静态考察。现代汉语语法属于共时语法。

从研究方法看,有比较语法和描写语法等。比较语法主要揭示不同语言或方言的语法异同,如英汉比较语法;描写语法主要揭示一种语言在某一时期的语法面貌,如汉语语法、英语语法。本书所说的语法属于描写语法。

从研究目的看,有理论语法和教学语法等。理论语法又称专家语法，其研究目的在于系统地描写语法事实，详尽地阐明语法规律，建立科学的语法体系；教学语法又称学校语法，根据教学的目的、要求，讲解主要的语法规律和规范语法的运用。教学语法注重语法教与学的认知规律。本书所说的语法属于教学语法。

二、语法体系

语法是由各种结构规律交织而成的系统，而对语法系统本身进行研究的语法学也有它自身的系统，它是研究和解释语法事实时，由所使用的分析方法、分类术语等组成的表述系统。本书把语法事实的系统叫语法系统，把语法学的系统叫语法体系。

一种语言客观存在的语法系统只有一个，而对语法系统本身进行研究的语法体系可以不止一个。语法体系之所以产生分歧，是由语法学者占有的语言材料、观察问题的角度、分析问题的方法不同造成的。如“坐在地上”，有的书认为是中补结构，有的书则认为是动宾结构；“去三趟”中的“三趟”，有的书把它视为补语，有的书则视为准宾语。可见，语法分析是带有一定的主观性的。在科学研究中，对同一客观对象，不同的学派持有不同的看法和观点，是在所难免的。语法学说的分歧只有通过对语法事实本身的深入研究，才能逐渐得以缩小或消除。不过，旧的分歧消除了，随着认识的提高和新问题的发现，又会产生新的分歧。

新中国成立后，语法学习受到广泛重视。当时的教学语法体系分歧很大，人民教育出版社 1956 年主持制定了中学用的《暂拟汉语教学语法系统》(简称《暂拟系统》)，后来成了全国通用的汉语教学语法体系，产生了广泛的影响。1981 年 7 月，人民教育出版社在哈尔滨组织召开了“全国语法和语法教学讨论会”，对《暂拟系统》提出了修改意见。1984 年《暂拟系统》的修正方案《中学教学语法系统提要(试用)》公布，这是目前中学语法教学的语法体系。本教材注重与中学教学语法体系相衔接，但不完全相同。

思考与讨论

语法体系为什么会产生分歧？对此应持有什么态度？

第二节 词类(上)

一、词类及其划分依据

词类是词在语法上的分类。划分词类的目的在于说明各类词的用法和语句的结构规律。词类划分一般以语法功能、形态和意义为依据,不同的语言由于其语法特性有别,三者在词类划分中的重要性也各不相同。如俄语,词的形态是划分词类的主要依据。而在现代汉语中,词类划分的主要依据是词的语法功能,形态和意义是参考依据。

(一) 词的语法功能

词的语法功能主要是指:

1. 词在语句里充当句法成分的能力。一是能否充当句法成分;二是经常充当什么样的句法成分。如“花儿开了”,“花儿”充当主语,“开”充当谓语,这类能充当句法成分的是实词;“了”不充当句法成分,只表语法意义,是虚词。“花儿”这类词常常充当主语、宾语,是名词;“开”这类词常常充当谓语(或谓语中的中心语),是动词。

2. 词与词的组合能力。一是能跟什么词组合,不能跟什么词组合;二是组合以后是什么关系。如“花儿”是名词,能跟形容词组合,如“漂亮的花儿”,“漂亮”修饰“花儿”,是定中关系;“花儿”不能跟副词组合,我们不能说“不花儿”。“开”是动词,能跟副词组合,如“不开”,副词“不”修饰“开”,是状中关系。“开”前面一般不能受数量短语的修饰,我们不能说“一个开”。“了”是虚词,常常附在动词后,表示完成或变化的语法意义,但是一般不能附在名词后,我们不能说“花儿了”。

(二) 词的形态

词的形态分两种:一是构形形态,二是构词形态。

现代汉语中构形形态包括重叠式和黏附式。如“讨论讨论”是动词重叠式,“干干净净”是形容词重叠式,“同学们”是黏附式,“们”黏附在“同学”后面,表示复数。构词形态包括前缀和后缀。如“老师”“阿姨”中的“老”和“阿”是前缀,“甜头”“绿化”中的“头”和“化”是后缀,它们有构成新词的作用,同时也有标记词类的功能。汉语中词的形态变化很有限,不能作为划分词类的主要依据。

(三) 词的意义

这里所说的词的意义,指的是从词的具体意义中概括出来的类别意义。如名词表示人和事物的名称,动词表示动作行为、存在、变化,形容词表示性质和状态等。如"吃、喝、拉、撒、睡"具体意义各不相同,但都表示动作行为,是动词。"柴、米、油、盐、酱、醋、茶"具体意义也各不相同,但都表示事物名称,是名词。

(四) 现代汉语的词类

汉语的词首先可根据能否做句法成分分为实词、虚词两大类。能充当句法成分的词叫实词,不能充当句法成分的词叫虚词。

实词可以分为名词、动词、形容词、区别词、副词、数词、量词、代词、拟声词、叹词[①]十类。虚词可以分为介词、连词、助词、语气词四类。

在实词当中,经常用来充当主语、宾语的,又称为体词,主要是名词和指代人或事物的代词等;经常用来充当谓语或谓语中的中心语的,又称为谓词,如动词、形容词等。

二、实词

(一) 名词

1. 名词的意义和种类

名词表示人、事物、时间、处所、方位的名称。名词有以下几种:

表示人或事物:人、学生、记者、眼睛、羊、月亮、钢笔、发动机(表具体)
　　　　　　　勇气、思想、友谊、情操、境界、哲理(表抽象)
　　　　　　　人民、百姓、书籍、马匹、车辆、河流(表集合)

表示时间:中秋、夏天、傍晚、将来、从前、平时

表示处所:周围、附近、郊区、远处、校园、图书馆

表示方位:上、下、左、右、之南、以北、旁边、后面

像"孙文、泰山、天安门、印度尼西亚"这样表示专一对象的词,

① 叹词尽管不能充当句法成分,但能独立成句,也归入实词。

有人把它们叫作专有名词。其中有些词与表处所的词有所交叉,如“泰山”“天安门”,既可看作是专有名词,也可看作是表示处所的名词。类似的交叉现象还有不少,如“图书馆”“校园”这样的词既表示事物名称,又可以表示处所。表示方位的词,单独使用的时候,也可以看作是表示处所的。

2. 名词的语法特征

(1) 经常做主语、宾语或主语、宾语中的中心语,如“老师推荐了一本好书”,名词“老师”做主语,“书”做宾语中的中心语。多数名词能做定语,如“红木家具”“校园文化”。名词一般不做状语,但表时间、处所和方位的名词常常做状语,如“我们明天出发”“咱们北京见”。名词不能做补语。

(2) 名词一般可以受表示名量的数量短语修饰,如“一朵花”“两位朋友”。但不是所有名词都如此,如表集合的、表方位的名词和专有名词,大多不能受数量短语的修饰。

(3) 名词一般不能受副词修饰。像“不人”“不鬼”“不山”不能说,只有在“人不人,鬼不鬼”“什么山不山的”等特定结构里才能使用。

(4) 名词一般不能重叠。像“爸爸、姐姐、星星”等,这些是由语素重叠构成的词,不是名词的重叠。

(5) 一部分表人的名词后可附加“们”,表复数,如“同学们、乡亲们、朋友们”。

3. 方位词

方位词主要表示方向和相对位置,可分为单音节方位词和双音节方位词两种。单音节方位词在现代汉语里一般不单用。双音节方位词由单音节方位词加上“之、以、边、面、头”等组成。

表 5-2 方位词总表

单音节方位词	双音节方位词					
	前加“以”	前加“之”	后加“边”	后加“面”	后加“头”	其他
上	以上	之上	上边	上面	上头	
下	以下	之下	下边	下面	下头	底下
左		之左	左边	左面		
右		之右	右边	右面		

续表

单音节方位词	双音节方位词					
	前加“以”	前加“之”	后加“边”	后加“面”	后加“头”	其他
前	以前	之前	前边	前面	前头	
后	以后	之后	后边	后面	后头	
里			里边	里面	里头	
内	以内	之内				
外	以外	之外	外边	外面	外头	
东	以东	之东	东边	东面	东头	东南
西	以西	之西	西边	西面	西头	西北
南	以南	之南	南边	南面	南头	西南
北	以北	之北	北边	北面	北头	东北
中		之中				当中
间		之间				中间
旁			旁边			

注:“之前、之后”兼表时间,“以前、以后”只表时间。

(二) 动词

1. 动词的意义和种类

动词表示动作、行为、心理活动或存在、变化等。动词有以下几种:

表示动作行为:跑、唱、说、做、表扬、传播、捍卫、商量
表示心理活动:爱、恨、怕、想、喜欢、羡慕、嫉妒、怀念
表示存在、变化:有、死、存在、消失、发生、演变、扩大
表示判断:是
表示能愿:能、要、会、该、肯、可以、可能、应当
表示趋向:来、去、上、下、进、下来、上去、起来

2. 动词的语法特征

(1) 动词经常充当谓语或谓语中的中心语,如“春天来了”“她开心地笑了”,在这两个例子中,“来”做谓语,“笑”做谓语中的中心语。

(2) 多数动词经常充当动语带宾语,如“老刘买了新车”“会议室坐了很多人”,“买”和“坐”充当动语。有一些动词做动语通常带谓词性宾语,如“进行(～辩论)”“加以(～改造)”“打算(～报考研究生)”

等。现代汉语中能带宾语的词一般都是动词。

(3) 动词能受“不”等副词修饰,但一般不能受程度副词修饰。如可说“不参加”“就来”“马上到”,但不说“很看”“太研究”。只有表心理活动的动词和部分能愿动词能够受程度副词修饰,如“很怕、很喜欢、很想念、很应该”。

(4) 动词后多数可以带“着、了、过”,分别表示动作行为持续、完成和经历等语法意义,如“玩儿着游戏、买了东西、学习过法语”。

(5) 部分动词可以重叠,表示短时、少量,有时带有尝试的意味。单音节动词重叠是 AA 式,后一个音节一般读轻声,如“说说、试试”;双音节动词重叠是 ABAB 式,如“讨论讨论、整理整理”。

3. 特殊动词

(1) 判断动词“是”

“是”主要用在主语、宾语之间表示判断,表示事物等于什么或属于什么,如“捐款的是个小学生”“王力是著名的语言学家”。“是”不表示动作行为,不能重叠,不能带“着、了、过”。

“是”还可以用在表示事物的特征、情况或存在的句子里,如“盛老师是个瘦高个儿”“公园里是一片花的海洋”“宿舍门前是一个网球场”。

值得注意的是,“是”还可以做副词,出现在动词、形容词前,做状语,如“晓宁是参加过选秀比赛”“她的眼睛是很漂亮”。这时的“是”要重读,表强调,相当于“的确、确实”的意思。

(2) 能愿动词

能愿动词又叫助动词,表示对行为或状况的可能性、必要性和意愿性的评议,主要用在动词、形容词前,做状语,如“这种自行车可以折叠”“色调应该柔和一点儿”。能愿动词是一个封闭的类,数量有限,主要包括:

表可能性:能、能够、会、可能、可以、可

表必要性:要、应、应该、应当、该、得(děi)

表意愿性:肯、敢、要、愿、愿意

能愿动词不能用在名词前,不能带“着、了、过”,不能重叠,但能进入“X 不 X”格式,有的还能进入“不 X 不”格式,如“能不能”“不敢不”。

有些还可以做谓语或谓语中的中心语，如“我能”“他完全可以”。

要注意，“会英文”“要东西”中的“会”“要”是一般动词的用法，不是能愿动词的用法。

（3）趋向动词

趋向动词常用在动词或形容词后，做补语，主要用来表示动作性状的趋向，如“走来”“游过去”“爬上来”“借调出去”。趋向动词也常做谓语或者谓语中的中心语，如“我去”“他还没有出来”。

趋向动词是一个封闭的类，有单音节、双音节两种，如下所列：

	上	下	进	出	回	开	过	起
来	上来	下来	进来	出来	回来	开来	过来	起来
去	上去	下去	进去	出去	回去	开去	过去	

有的趋向动词做补语时，可以引申出比较抽象的意义，如“唱起来”“热起来”中的“起来”表示开始，“说下去”“冷下去”中的“下去”表示继续。

（三）形容词

1. 形容词的意义和种类

形容词表示性质、状态等，分以下两种：

表示性质：美、热、快、甜、近、丑陋、刚强、善良、认真、陡峭

表示状态：碧绿、冰凉、红彤彤、傻乎乎、糊里糊涂、黑不溜秋

2. 形容词的语法特征

（1）形容词经常充当谓语、谓语中的中心语和定语，如“空气清新”“粤菜特别清淡”“绿油油的稻田”。有的形容词可修饰动词做状语，如“慢走”“得意地笑了”。部分形容词还能做补语，如“走累了”“打扫干净”。但形容词不能带宾语。

（2）表性质的形容词能受“很、太”等程度副词修饰，如“很聪明”“太贵了”“十分清楚”。表状态的形容词本身已含程度义，不能受程度副词修饰。

（3）部分形容词可以重叠，表示程度的加强。单音节形容词的重叠式为AA（的）式，双音节形容词为AABB式。例如：

慢—慢慢(的)　　　　小—小小(的)
热闹—热热闹闹　　　大方—大大方方

有些含贬义的形容词的重叠式为“A里AB”式。例如：

慌张—慌里慌张　　　小气—小里小气

(四) 区别词

1. 区别词的意义和种类

区别词表示人和事物的属性，有分类的作用。这种属性往往有对立的性质，所以常常成对或成组出现。例如：

万能　野生　独生　袖珍　公共　日用
男—女　正—副　公—母　金—银　单—双
国有—私有　急性—慢性　初级—中级—高级
短程—中程—远程

2. 区别词的语法特征

(1) 区别词只能做定语，修饰名词，如“副主席”“万能钥匙”“袖珍词典”“国有资产”。区别词除做定语外，本身不能再充当其他句法成分。像“初级的比较容易学”“这条狗是公的”中的主语、宾语不是由区别词本身来充当的，而是由“区别词＋的”构成的短语充当。

(2) 区别词不能受“很”“不”修饰，如不能说“很慢性”“不急性”。如果表否定，只能用“非”，如“非国有(资产)、非民用(电价)”。

值得注意的是，类似“这件衣服很高级/不高级”中的“高级”受“很”“不”的修饰，是形容词，不是区别词。区别词只能做定语，不能做谓语或谓语中的中心语，而形容词主要做谓语或谓语中的中心语，也能做定语，这是二者的最大区别。

(五) 副词

1. 副词的意义和种类

副词表示程度、范围、时间、否定、情态、方式等意义，可分以下几种：

表示程度：很、最、太、十分、格外、特别、极、非常、更、更加、略、较、稍稍、略微、有点儿、越、越发、过于

表示范围：全、都、只、净、光、仅、总、共、总共、全都、统统、一律、一概、单单

表示时间、频率：曾经、已经、刚刚、正在、马上、立刻、将、顿时、一直、渐渐、常常、往往、又、屡次、再三、偶尔

表示肯定、否定：必须、必定、一定、的确、准、不、没、没有、别、勿、未、不用(甭)

表示情态、方式：特意、忽然、公然、大肆、肆意、连忙、亲自、悄悄、专程、大力、单独

表示语气：难道、简直、幸亏、索性、难怪、不妨、未免、何尝、何必、也许、大约、反正、反倒、明明、果然、居然、竟然、偏偏、究竟、到底

有的副词在不同的上下文中表示不同的意思，属于不同的类别。如“就”，在“我就来”中相当于“马上”，表时间；在“我就借了一本书”中相当于“只”，表范围；在“我就要去”中相当于“偏”，表语气。

2. 副词的语法特征

(1) 副词绝大多数只能修饰动词、形容词，做状语，如“[不]去”“[相当]漂亮”“[居然]输了”。只有极少数副词还可充当补语，如“高兴得〈很〉”“激动〈万分〉”。在一定条件下，副词还可以修饰名词性词语，限制人和物等的数量、范围，如“就两个人”“才三块钱”“最前沿”“教室里光学生”。

(2) 副词一般不能单说，但像“不、没有、也许、有点儿、当然、何必”等少数副词可在省略句中单说，例如：

甲：你明天去他家吗？

乙：也许。

副词一般只能做状语，这一点可以把它与其他能做状语的词区别开来。

时间名词可以做状语，如“[现在]出发”中的“现在”，但“现在”还可做定语，如“(现在)的情况”；副词不能做定语，如不能说“马上的情况”。

形容词可以做状语，如“[突然]发生”中的“突然”，但“突然”还可以做定语或谓语中的中心语，如“突然事件”“事情很突然”；副词则不能这样，如不能说“忽然事件”“事情很忽然”。“白、怪、净、老”等词，在

名词前做定语,是形容词,如"白手套、怪主意、净含量、老房子";在谓词前做状语,是副词,如"白来、怪可怜、净瞎说、老迟到"。它们做形容词和做副词时,意思也不一样。

"没(有)"在谓词前修饰谓词时是副词,如"没有出去""汤还没凉";在名词前支配名词时是动词,如"没有钱"。

(六) 数词

1. 数词的意义和种类

数词表示数目和次序,分基数词和序数词两类。

(1) 基数词

基数词表示数目的多少。其中"一、二、两、三、四、五、六、七、八、九"和"零"表系数,"十""百""千""万""亿"等表位数,它们通过系位相连构成复合数词,如"十五""二十五""五万四千三百二十一"等。

基数词可以组成表示分数、倍数、概数的短语。

分数用"×分之×""×成"等固定格式表示,如"百分之九十",也就是"九成"。前者是常用的格式,后者一般用于口语。

倍数主要由数词后加量词"倍""番"构成,如"三倍""(翻)两番"。

概数有以下几种表示法:

A. 邻近数词连用,如"三两个""七八岁""三四十个"。

B. 整数前加"成、上、近、约"等,如"成千上万""近百人""约十天"。

C. 整数后加"来、多、把、许、左右、上下"等,如"十来个""三十多位""百把人""三时许""二十左右""五十上下"。

D. 用"几""两"等词,如"十几岁""(等)两天"。

(2) 序数词

序数词表示次序的先后。一般在整数前面加词缀"第""初""老"等来表示,如"第一""初二""老三"。

2. 数词的语法特征

(1) 数词一般要跟量词组合构成数量短语,才能充当定语、补语、状语等句法成分,如"(四位)先生""看〈一遍〉""[一把]拉住"。

(2) 数词一般不直接修饰名词。有些数词与名词的直接组合,是承袭了古汉语的用法,如"三兄弟、一人一票"等。

表示数目的增减有一套习惯用语：

增加（了）、增长（了）、上升（了）、提高（了）——不包括底数，只指净增数。如从十增加到四十，可以说“增加了三倍”，不能说“增加了四倍”。

减少（了）、降低（了）、下降（了）——指差额，不包括底数。如从十减少到一，以分数计算，应该说“减少了十分之九”，不能说“减少到十分之九”。

增加（到/为）、增长（到/为）、上升（到/为）——包括底数，指增加后的总数。如从十增加到四十，可以说“增加到四倍”，不能说“增加到三倍”。

减少（到/为）、降低（到/为）、下降（到/为）——指减少后的余数，包含底数。如从十减少到一，以分数计算，应该说“减少到十分之一”，不能说“减少了十分之一”。

（七）量词

1. 量词的意义和种类

量词表示人、事物和动作行为的计算单位，分名量词、动量词两类。

（1）名量词

寸、米、斤、吨、亩、克、年、秒、平方千米（表度量衡）

个、只、名、头、棵、粒、座、间、辆、所、篇（表个体）

双、对、副、组、套、批、伙、群、帮、队、打（dá）（表集体）

些、点儿（表不定量）

（2）动量词

下、场、趟、顿、次、回、遭、遍、番、通

以上均为单纯量词。此外还有复合量词。复合量词由两三个不同的量词复合而成，表示复合的计算单位，如“人次”“架次”“吨海里”“吨公里”“秒立方米”。

有些表名量、动量的词是临时借用来的。如“一篮子水果”“一桌子菜”中的“篮子”“桌子”是名词临时借用为名量词；“踢一脚”“砍一刀”“开两枪”中的“脚”“刀”“枪”是名词临时借用为动量词。有一些临时借用的词会逐步固化为量词，如“一杯水”“一瓶酒”中的“杯”和“瓶”

借自名词,“一捆柴”“一摞书”中的“捆”和“摞”借自动词,它们已经具备了量词的语法特征,如可以进入“一 AA”的格式(一杯杯水、一捆捆柴),名词和动词都不能进入这一格式。

有一些借用来的名量词是为了描写后面的名词,或使抽象事物具体化,起到突出形象的作用,如“一弯晓月、一线生机、一抹红霞、几缕情思、半江渔火”。这些用法主要见于文学作品,所搭配的数词有限,多是“一、几、半”等。

2. 量词的语法特征

(1) 量词常与数词组合构成数量短语,充当定语、状语、补语等,如“(三瓶)可乐”“(几次)机会”“[一把]拽住”“[一顿]暴打”“去〈一趟〉”“运算〈两亿次〉”。单个量词一般不能单独做句法成分,像“买份早餐”“吃块蛋糕”中的“份”“块”实际上是省略了前面的数词“一”。

(2) 单音节量词大多可重叠,重叠之后表示每一、逐一或数量多等意义,充当定语、状语、主语、谓语等句法成分,如“(朵朵)白云”“[代代]相传”“个个都很认真”“笑声阵阵”。

数量短语也可重叠,构成“一 A(一)A”式,充当定语、状语、主语、谓语,也表示每一、逐一或数量多等意义,如“一件(一)件的衣服”“一趟(一)趟地搬”“一个(一)个都很漂亮”“他的理论一套(一)套的”。有时其中的数词还不限于“一”,如“两包两包地扛”“三个三个地拿”。

(八) 代词

1. 代词的意义和种类

代词起代替和指示的作用。按作用,代词可分为三大类。

(1) 人称代词:对人或事物起称代作用。第一人称为“我”“我们”“咱们”。其中“我们”可以把听话人排除在外(也叫“排除式”,如“我们不跟你们一般见识”),也可包括听话人(也叫“包括式”,如“我们比一比吧”);“咱们”具有口语色彩,总是包括听话人在内。第二人称为“你”“您”“你们”,“您”是尊称形式。第三人称为“他(们)”“她(们)”“它(们)”,书面上,它们分别称代男性、女性和事物。如果指称包含男女的群体,就统一用“他们”。此外,人称代词还包括反身代词“自己”“自个儿”,泛称代词“人家”“别人”,统称代词“大家”等。

（2）指示代词：对人、事物或情况起指别作用。指示代词的基本形式是近指的“这”和远指的“那”，在此基础上可以构成“这儿/那儿”“这里/那里”“这会儿/那会儿”“这样/那样”“这么样/那么样”“这么/那么”。另外，“某”“各”“每”“本”“另”“别的”“其他”“其余”等也是指示代词。

（3）疑问代词：对人、事物或情况起询问、求代的作用。包括“谁”“什么”“哪”“哪儿”“哪里”“多会儿”“几”“多少”“怎样”“怎么”“怎么样”“多”等。

表 5-3　代词总表

<table>
<tr><td rowspan="2">按功能分类</td><td colspan="6">按作用分类</td></tr>
<tr><td colspan="3">人称代词</td><td>疑问代词</td><td colspan="2">指示代词</td></tr>
<tr><td rowspan="7">代名词</td><td></td><td>单数</td><td>复数</td><td rowspan="5">谁
什么
哪</td><td>近指</td><td>远指</td></tr>
<tr><td>第一人称</td><td>我</td><td>我们 咱们</td><td rowspan="4">这</td><td rowspan="4">那</td></tr>
<tr><td>第二人称</td><td>你 您</td><td>你们</td></tr>
<tr><td>第三人称</td><td>他 她 它</td><td>他（她/它）们</td></tr>
<tr><td>其他</td><td colspan="2">自己 自个儿
人家 别人
大伙儿 大家
彼此</td></tr>
<tr><td colspan="3" rowspan="2"></td><td>多会儿</td><td>这会儿</td><td>那会儿</td></tr>
<tr><td>哪儿
哪里</td><td>这儿
这里</td><td>那儿
那里</td></tr>
<tr><td>代谓词</td><td colspan="3"></td><td>怎样 怎么
怎么样</td><td>这样
这么样</td><td>那样
那么样</td></tr>
<tr><td>代数词</td><td colspan="3"></td><td>几 多少</td><td></td><td></td></tr>
<tr><td>代副词</td><td colspan="3"></td><td>多</td><td>这么</td><td>那么</td></tr>
</table>

注：“每、各、某、本、另、该、别的、其他、其余”等也都是指示代词。

2. 代词的用法

代词不是根据语法功能划分出来的，与别的词类有所不同，性质比较特殊。从句法功能方面来看，代词与它所代替的语法单位的功能相当。如“这是一本很好的书”“你吃什么”中，“这”“你”做主语，“什么”做宾语,它们代替的是名词,与名词的功能相当;“刚才的演讲怎么样”“你不能这样”中,“怎么样”“这样”做谓语和谓语中的中心语,代替的是谓词,与谓词的功能相当;“那么快呀”中,“那么”做状语,代替的是副词,与副词的功能相当;“来了多少客人”中,“多少”代替数量短语,功能与数量短语相当。

有些代词有表示任指、虚指的用法。任指指代所说范围内的任何人或事物。虚指指代不好确定的人或事物,包括不知道、不好说或不想说的。例如:

① 大名鼎鼎的范先生,谁不认识啊!(“谁”表任指)

② 什么都别买,妈什么都不缺!(“什么”表任指)

③ 咱们不为这不为那,就为大伙儿能过上好日子。(“这”“那”表虚指)

④ 杀他个人仰马翻。(“他”表虚指)

(九) 拟声词

拟声词又叫象声词,是模拟声音的词,如“啪、叭、砰、咩、嗡嗡、呜呜、叮当、哗啦、扑通、丁零零、轰隆隆、噼里啪啦、叽叽喳喳”等。

拟声词可充当状语、定语、谓语、补语等句法成分。例如:

① 篝火[噼里啪啦]地燃起来了。

② 姑娘们快活得像一群(叽叽喳喳)的小鸟儿。

③ 河面上,鼓声咚咚,水花飞溅。

④ 窗外的白杨树被风吹得〈哗啦哗啦〉的。

有时拟声词也可独立成句或做独立语。例如:

⑤ “阿——嚏——!”隔壁打了一个很响的喷嚏。(独立成句)

⑥ 嘭嘭嘭,门外传来一阵敲门声。(独立语)

拟声词非常丰富。汉字只能大致地模仿声音,如“啧啧”的读音跟实际的发音(吸气音)有区别;“砰”既可用来表枪声,也可表关门声,但枪声与关门声有一定差别。有时还存在有音无字的现象,如踹门声(duang)、扇耳光声(pia)。拟声词应尽量使用通行的写法,不应随意生造。

（十）叹词

叹词表示感叹、呼唤或应答等意义，如“啊、哦、嗯、喂、唉、哎、哎哟”等。叹词的独立性很强，不跟其他句法成分发生结构关系，常做独立语或独立成句。例如：

① 哎呀，太好了！（独立语）
② 哎！我马上就来。（独立成句）

同一叹词，在不同语境中由于语调不同，可表达不同的意义。例如：

③ 啊，是小邓呀。（微微一惊，“啊”语调低降）
④ 啊，老杨调走了？（大吃一惊，“啊”语调高扬、短促）
⑤ 啊，原来是这样子啊。（恍然大悟，语调低降、舒缓，声音较长）
⑥ 啊，就这样吧。（表示同意、应允，语调低降，声音短促）

叹词的书面写法往往不固定，有时同一声音用不同的汉字来表示，这有待进一步规范。

一般来说，汉语中的每个实词都可以各归其类，但有的词是兼类的。如“丰富”，在“我们的课余生活很丰富”中是形容词，在“丰富了我们的课余生活”中是动词。又如“代表”，在“我们选了两个代表”中是名词，在“他们二位可以代表我们”中是动词。再如“矛盾”，在“他们之间有矛盾”中是名词，在“造成了一个很矛盾的局面”中是形容词。这些兼类的词在具体的语境中究竟归属哪一类，仍然要靠划分词类的依据来确定。

复习与练习（二）

一、复习题

1. 简述汉语词类的划分标准。
2. 详述名词、动词和形容词的语法特征。
3. 简述区别词和副词的语法特征。
4. 简述名量词和动量词的差异。
5. 代词可分哪几类？怎样认识它的语法功能？

二、练习题

1. 比较下列各组中每个词的词性。

许诺—诺言　　勇气—勇敢　　充分—充满

青年—年轻　　愿望—希望　　适合—合适

坚决—决心—决定　　开心—关心—衷心

西式—西方—西化　　平常—日常—经常

2. 标明下列句中画线的词的词性并说明理由。

(1) 天渐渐冷起来了。

(2) 他还在教室里看书。

(3) 自行车他骑出去了。

(4) 你应该努力学外语。

(5) 他刚才来过。

(6) 最好听的是这首歌。

(7) 房子上面铺着瓦。

(8) 这是一本袖珍词典。

(9) 老张请我吃饭。

(10) 幸亏他来了。

(11) 我们继续开会。

(12) 老板训了他一通。

(13) 这种情况很正常。

(14) 逐步改进服务质量。

(15) 我们要赶快行动。

(16) 工程刚刚开始。

(17) 神情木然。

(18) 北风呼呼地叫。

(19) 哦,原来如此。

(20) 你今年多大?

3. 指出下列句中“多”的词性。

他的论著很多。　　(　　　)

他又多了一个头衔。　　(　　　)

他精通多种外语。　　(　　　)

多好的人啊！　　　　　　（　　　　　）

他走了多久？　　　　　　（　　　　　）

4. 汉语各方言中的代词跟普通话可能有不一样的地方，请参照课本中的代词总表，列出自己方言中的代词。

5. 有些量词的不规范用法是因为受方言的影响，如有的地方会说“一根裤子、两只人、三间医院”。试举出一些自己方言中与普通话不同的量词或量词用法。

第三节　词类(下)

一、虚词

虚词不能直接充当句法成分，只能依附在实词或语句上，表示一定的语法意义。由于汉语中实词表示语法意义的形态变化比较少，因此虚词是表示语法意义的主要手段之一。虚词是封闭的类，数目有限，使用频率却很高，而且用法复杂。不过，不同虚词之间也有一些共同的特点，根据这些共同特点，可以把虚词分成介词、连词、助词和语气词四类。

（一）介词

介词主要用在名词性词语之前，构成介词短语，主要用来修饰谓词。介词后的词语表示与动作、性状相联系的时间、处所、方式、施事、受事等。介词主要有以下五类：

表示时间、处所、方向：在、于、从、自、打、当、由、沿、朝、向

表示依据、方式、方法、工具、比较：根据、据、依照、按照、按、本着、用、通过、凭、比

表示施事、受事：被、叫、让、由、把、将

表示原因或目的：为、因为、以、为了[①]

---

① “为了”“沿着”等整个是介词，不是动词“为”“沿”带“着”或“了”，介词不能带“着”“了”“过”。

表示关涉对象:对、对于、关于、至于、跟、和、同、与、向、给

介词短语主要做状语,其次做补语,少数情况下做定语,不能做谓语。例如:

① [从车上]下来

② 走〈向世界〉

③ (关于成哥)的传闻

汉语的介词大多是由动词虚化而来的。有的词还处于过渡阶段,什么时候是介词,什么时候是动词,主要看它是否做谓语中的中心语,做谓语中的中心语的是动词,不是介词。试比较:

做介词	做动词
他用斧头砍树。	他用过斧头。
我比他高。	咱俩比一下。
给我买张票!	给我一支笔!

(二) 连词

连词是语句中起连接作用的虚词。它的作用是把词、短语或句子连接起来,可以按照连接的对象分成三类:

(1) 连接词或短语的有"和、跟、同、与、并、及、以及"等,如"我和你""继承并发扬""教师、职员以及全部学生"。

(2) 连接句子的有"因为、所以、虽然、但是、如果、要么、否则"等。这类连词常配对使用,也可以单用。例如:

① 因为小五是我们乐队的主力,所以他必须来。

② 夜晚,雨仍在下,但是小了。

(3) 既可以连接词或短语,也可以连接句子的有"而、或、或者、并且",如"肥而不腻""爸爸想去东南亚旅游,而妈妈想去欧洲"。

某些连词与介词存在区分问题。例如:

③ a. 我和他都去过北京。　　b. 去北京的是我和他。

④ a. 我曾经和他去过北京。　　b. 和他去北京的人是我。

例③的“和”是连词，位于“我”“他”之间，“我”“他”位置颠倒并不影响句子的意思。例④的“和”是介词，“我”与“他”的位置不能调换，如果调换，意思会发生变化。

又如：

⑤ a. 由于他不来，我们只好自己做了。
   b. 由于种种原因，我们只好自己做了。

例⑤a 中的“由于”连接两个分句，是连词。例⑤b 中的“由于”后接名词性短语，是介词。它们之间的差异，在于它们后接的是谓词性成分还是名词性成分（名词性成分也叫体词性成分）。

（三）助词

助词附着在实词、短语或句子上面表示某种语法意义。常见的助词分以下几类：

结构助词：的、地、得

动态助词：着、了、过

比况助词：似的、一样、（一）般

其他助词：所、给、连

结构助词、动态助词、比况助词都是后附的，读轻声。“所”“给”“连”是前附的，不读轻声。

1. 结构助词

“的”“地”“得”，语音形式都是“de”，它们主要用来标示定语和中心语、状语和中心语、中心语和补语之间的结构关系。一般而言，附在定语后时，应写作“的”，如“漂亮的衣服”；附在状语后时应写作“地”，如“愉快地学习”；附在中心语后、补语前时，应写作“得”，如“哭得很伤心”。“的”还可以组成“的”字短语，如“我的”“才买的”。

2. 动态助词

“着”“了”“过”表示动作行为或性状所处的状况。

“着”附在动词或形容词之后，表示动作的进行或状态的持续。例如：

① 吃着碗里的，看着锅里的。

② 教室里的灯一直亮着。

“了”附在动词或形容词之后，表示动作行为或状态的实现。例如：

③ 哥哥的努力得到了回报。

④ 一个月下来，他整整瘦了一圈。

⑤ 过了明天，你就会明白。

动作状态的实现与动作状态发生、变化的时间没有必然联系，如例④⑤中的“了”都表实现，但前者表示已经实现，后者表示将来才会实现。

“过”附在动词、形容词后，表示动作行为或状态曾经发生或存在。例如：

⑥ 她调侃地说：“我见过无耻的，但没见过你这么无耻的。”

⑦ 我们也年轻过，也荒唐过。

动态助词常常和表示时间的副词配合使用，在动词的前后互相呼应，如“已经得到了回报”“曾经见过”。

另外，当“的”用在动语和宾语之间时，可以表示行为在过去发生。例如：

⑧ 我在北京上的大学，在广州读的研究生。

⑨ 昨天谁锁的门？

这类句子强调动作的处所、施事、时间、方式等，被强调的对象前往往可以加上“是”，如“昨天是谁锁的门”。

3. 比况助词

“似的”“一样”“(一)般”附在名词性、动词性、形容词性词语后，构成比况短语，大多表示比喻，如“木头一样”“发疯般”，也可表示推测，如“很开心似的”。比况短语前面往往还可以加“像”“好像”，如“像木头一样”“像发疯一般”“好像很开心似的”。

4. 其他助词

“所”常附在及物动词前，构成“所”字短语，如“各尽所能，各取所需”中的“所能”“所需”。在现代汉语里“所”的常见使用格式是“所＋动词＋的”，如“我所看到的就是这些”。“所”也常与“被”“为”配合构成“被……所……”“为……所……”格式，表示被动，如“为情所困”。“所”是比较书面化的助词。

“给”用在动词前，起加强语势的作用。例如：

⑩ 这事儿把我给感动坏了。

⑪ 拖鞋让小狗给叼走了。

⑫ 哎呀，我给忘了！

这种“给”可以省略，省略后不影响句子的基本意思。“给”是比较口语化的助词。

“连”用在名词性、动词性或形容词性词语前，与“都”“也”等相配合，构成“连……都……”“连……也……”等格式。例如：

⑬ 他连球都没摸过，更不用说参加比赛了。

⑭ 写给她的信，她连看也不看，就扔到一边了。

“连”后的词语，是对比强调的部分，隐含对比的意义。

（四）语气词

语气词常用在句末表示语气，也可用在句中主语、状语后头表停顿。常见的语气词主要有以下六个：

的　了　呢　吧　吗　啊

“的”主要用于陈述句，如：“这事我会记住的。”

“了”主要用于陈述句和祈使句，如：“春天来了。”“同学们，上课了。”

“呢”主要用于疑问句和陈述句，如：“帽子呢？”“外面正下雨呢。”

“吧”主要用于祈使句和疑问句，如：“你还是去吧。”“雨停了吧？”

“吗”主要用于疑问句，如：“他做过志愿者吗？”

“啊”主要用于感叹句、疑问句、祈使句，如：“这孩子多聪明啊！”“这是谁买的杯子啊？”“别放糖啊！”

前面所举的例子，语气词都用在句子的末尾，但有的语气词也可以用在句子的中间。例如：

① 这事儿吧，可真有点儿悬！

② 麦当劳哇，肯德基呀，汉堡王啊，都是洋快餐。（“哇”“呀”是

“啊”的音变)

某些语气词与助词存在区分问题,如“的”和“了”。

(1) 语气词“的”和结构助词“的”

③ 明天是会下雨的。

④ 这个是姐姐在北京买的。

例③中“的”是语气词,例④中“的”是结构助词。要判断句末的“的”是语气词还是结构助词,首先是看“的”能否删除,删除后句子意思基本不变的是语气词,意思变了的是结构助词。其次是看“的”后能否添加名词做中心语,能添加的是结构助词,不能添加的是语气词。如例④可说成“这个是姐姐在北京买的纪念品”。

(2) 语气词“了”和动态助词“了”

语气词“了”用于句子的末尾;动态助词“了”用于谓词后,常出现在句中。如“关了门了”,第一个“了”是动态助词,第二个“了”是语气词。汉语语法学界习惯把动态助词“了”叫作“了$_1$”,把语气词“了”叫作“了$_2$”。

有时候谓词后的“了”正好又在句子的末尾,这时的“了”究竟是语气词还是动态助词呢?最主要是看整个句子所说的事情有没有发生。如果事情还没有发生,“了”一般是语气词,如“我走了,咱们后会有期”“长大以后你就知道了”。如果事情已经发生了,那么“了”就是动态助词和语气词的混合形式,如“他早就走了”“我已经知道了”。一般把这种混合形式的“了”叫作“了$_{1+2}$”。

二、词类运用中的问题

(一)“以前、以后”等方位词运用中的范围起点问题

*2000年以前进校的和2000年以后进校的教职工采取不同的住房分配模式。

表面看来,上例的“2000年以前进校的”和“2000年以后进校的”界限清楚,但没考虑“2000年进校的”的归属问题,表达不严谨。正确的表述可根据实际情况改为“2000年以前(含2000年)进校的和2000年以后进校的教职工采取不同的住房分配模式”或“2000年以前(不含

2000 年)进校的和 2000 年及以后进校的教职工采取不同的住房分配模式”。

“以上、以下;以外、以内;之上、之下;之前、之后”等方位词在使用中也存在是否包含范围起点的问题。为避免歧义,书面上常在这类方位词后用括号注明是否含范围起点,如“科级以上干部(含科级)”。

(二)“二”“两”等数词和量词运用中的问题

① * 本学期,他有二门课考得不理想。

② * 他们俩个都不喜欢在外面吃饭。

例①中“二”应改为“两”。“二”和“两”用法不完全相同。当单独用在度量衡量词前时,除“二两”不能说成“两两”外,用“二”用“两”都可以,如“二斤”“两斤”“二尺”“两尺”。但单独用在其他量词前就只能用“两”不能用“二”,如“两个”不说“二个”,“两条”不说“二条”;不过在“位”前也可用“二”,“二位”“两位”都通用。例②的正确说法应是“他们俩”。“俩”是“两个”的合音,所以不能再用量词“个”。“仨”的情况与“俩”一样,也不能说“仨个”。

(三)否定形式的运用

① * 进场施工,要防止不发生事故。

② * 谁也不会否认,地球不是绕着太阳转的。

③ * 谁说这种病不是不能治的,你就放心吧。

副词中的“不、没、没有”等表否定意义,动词“否认”等也表否定义,反问语气也可以表否定意义。一个句子中使用多重否定时,如果不注意,就会把话说反了。所以,例①正确的说法应该是“进场施工,要防止发生事故”。例②应该说成“谁也不会否认,地球是绕着太阳转的”。例③应该说成“谁说这种病是不能治的,你就放心吧”。

(四)代词的指代问题

① * 老邓的外甥是前任经理,由于能力有限被免职了,他对此一直耿耿于怀。

② * 他说自己天天加班,我已经受够了。

③ * 他明天去广州,这里有他的亲戚。

例①中"他"的指代对象不明确,应根据实际情况把"他"改为"老邓的外甥"或"老邓"。例②人称指代混乱,可改为"他说自己天天加班,(他)已经受够了"。例③中指代"广州"的"这里"应改为表远指的"那里"。

(五)"对""对于"和"关于"

"对""对于"常常可以互换。一般能说"对于"的地方也能用"对",但是能用"对"的地方不一定都能用"对于"。

① * 大家对于我都很热情。

② * 学习外语,对他很困难。

③ * 这种不文明的行为,对于有文化教养的人是不能容忍的。

介词"对"是由动词"对"演变而来的,还保留有"对待、对付、朝、向"的意思;"对于"则没有这些用法。所以表示人与人的关系的时候,应该用"对",例①中的"对于"应改为"对"。

如果要引进持某种判断或看法的主体,应该用"对(对于)……来说"这一格式。例②应改为"学习外语,对(对于)他来说很困难"。例③可改为"这种不文明的行为,对于(对)有文化教养的人来说,是不能容忍的"。单用"对于"一般不能引出主体,只能引出客体,所以例③还可改为"对于这种不文明的行为,有文化教养的人是不能容忍的"。

"关于"和"对于"都表示关涉,但二者之间也存在细微的区别。"关于"常引出话题性事物,如"关于这事,我直接跟老王联系"。"对于"常引出动作行为所涉及的对象,如"对于这个问题,我们都要采取积极的态度"。两种意思都符合的情况下,"对于"和"关于"可互换,如"关于(对于)这个问题,大家有不同的看法"。

"关于"和"对于"还有其他一些差异。第一,由"关于"组成的介词短语,要放在主语之前;由"对于"组成的介词短语,放在主语前后都可以。如可以说"对于语音学,我了解得不多",也可以说"我对于语音学了解得不多";但不能说"我关于此事了解得不多",只能说"关于此事,我了解得不多"。第二,由"关于"组成的介词短语可直接做标题,如"关于放假的安排",而由"对于"组成的介词短语不做标题。

（六）“和”“或”“或者”“还是”

“和”做连词时，只能连接词和短语，不能连接分句。连接多个成分时，“和”一般用在最后一个成分前。

① * 下午我复习了语法，和做了练习。

② * 小方和小杨、小匡都去过西藏。

例①要去掉“和”，例②的“和”要放在“小匡”前。

“和”“或”有时可以互换，如“去和（或）不去，你自己决定”，两种说法都可以，但二者表达的意义还是有区别的。“和”表示的是两项兼有，“或”表示两项选一。在“下班后或周末，人们都喜欢到这儿来玩儿”这个例子中，“或”如果换成“和”，意思就不一样了。

“或者”“还是”都可表示选择，如“不管是天晴或者（还是）下雨，他都坚持每天跑步”。但是“或者”不能表达疑问，“还是”则可以表达疑问。所以“你说还是他说？”中的“还是”不能替换为“或者”。

（七）“的”“地”“得”的分工

“的”“地”“得”这三个结构助词分别标示定语、状语和补语。有些人不大理会它们之间的区别，尤其是“的”“地”的区别。为了增强语言的规范性，也为了分清结构的性质，应当注意分辨它们的用法。

① * 认真的对待同事和学生提出的意见。（第一个“的”应改为“地”）

② * 他写的很认真。（“的”应改为“得”）

③ * 大家就这事展开了深入地讨论。（“地”应改为“的”）

复习与练习（三）

一、复习题

1. 举例说明介词的主要语法特征。
2. 举例说明连词的作用。
3. 常见的助词有哪些类别？各个助词小类有什么特点？
4. 常见的语气词有哪些？它们分别表达什么样的语气？

二、练习题

1. 请把下文中的虚词标出来,并分别填入相应的词类表中。

今天想来,她对我的接近文学和爱好文学,是有着多么有益的影响!像这样的老师,我们怎么会不喜欢她,怎么会不愿意和她接近呢?我们见了她不由得就围上去。即使她写字的时候,我们也默默地看着她,连她握笔的姿势都急于模仿。……

记得在一个夏季的夜里,席子铺在屋里地上,旁边点着香,我睡熟了。不知道睡了多久,也不知道是夜里的什么时候,我忽然爬起来,迷迷糊糊地往外就走。

母亲喊住我:"你要去干什么?"

"找蔡老师……"我模模糊糊地回答。

"不是放暑假了么?"

哦,我才醒了。看看那块席子,我已经走出六七尺远。母亲把我拉回来,劝了一会儿,我才睡熟了。我是多么想念我的蔡老师啊!至今回想起来,我还觉得这是我记忆中的珍宝之一。一个孩子的纯真的心,就是那些在热恋中的人们也难比啊!

(节选自魏巍《我的老师》)

介词	
连词	
助词	
语气词	

2. 试分析下面例子中"了""的""连""和"的不同词性。

了
(1) 丹丹做了作业了。
(2) 李大爷要休息了。
(3) 我把书还了。

的
(4) 我的书都是新买的。
(5) 他不会开心的。
(6) 我是知道的。

连 {
(7) 他连开三枪，但一枪都没打中。
(8) 这东西可以连皮吃，不过皮有点儿涩。
(9) 连这种事情都做，真是无法无天了。

和 {
(10) 亚楠和她的男朋友都学过俄语。
(11) 和孙老板接洽的人是马经理。
(12) 他曾经和我一起去新疆支教一年。

3. 改正下列句子中的错误，并说明理由。

(1) 他一直在进行研究钱锺书。

(2) 黄老师夫妇探亲留学国外的女儿去了。

(3) 大家对完成这次探险非常决心。

(4) 他们订出了考试前如何进行复习。

(5) 每一个抢险者都获得了格外的荣誉。

(6) 对待任何事物我们都不能太主观、偏见。

(7) 这辆车在行车中突然故障，导致了交通事故。

(8) 他的手在冬天总是很冰凉。

(9) 这些人很聪明，很快就熟练了自己岗位的所需要的知识。

(10) 大蒜价格从四块涨到八块，涨了两倍。

(11) 关于乒乓球，我就不像足球那样有兴趣了。

(12) 他们今天下午打了球和买了东西。

(13) 这篇文章无论在取材方面，而且在突出主题方面都做得相当好。

(14) 你到底要买什么吗？

(15) 李明被当选为学校研究生会的主席。

(16) 在学习外语的过程里，我遇到了不少困难。

(17) 不管他背叛了我，我对他总是恨不起来。

(18) 这台电脑曾经有着不少毛病。

4. 试举例说明你的方言当中与普通话“着、了、过”相应的动态助词。

【课程延伸内容】

词的兼类、活用和误用

词类是以词为对象,依据语法功能、形态和意义划分出来的类别。词类系统建立起来之后,具体的某个词应该归入哪个词类,要看它具有哪种词类的一般语法特征。

比如说,名词的一般语法特征是主要充当主语、宾语,能受名量短语修饰,不能受副词修饰;动词、形容词主要充当谓语或谓语中的中心语,能受副词修饰,前面不能受名量短语修饰;动词往往能带“着、了、过”或宾语;形容词还常常充当定语,但不能带宾语。从这些一般的语法特征来看,“木头”是名词,“支持”是动词。

不过,“支持”有时也可以做主语,“木头”有时也可以做定语,如“你的支持对我很重要”“木头桌子”,也许有同学会把这里的“支持”看成名词,“木头”看成形容词,或者把“支持”看作是动名兼类,“木头”看作是名形兼类。这种看法是不正确的,因为在“你的支持对我很重要”中,虽然“支持”做了主语中的中心语,在这里它不能带“着、了、过”,也不能带宾语,甚至能受定语修饰,这些表现很像名词,但是它还可以受副词修饰,如“你的大力支持对我很重要”,不能受名量短语的修饰,如不能说“你的两个支持对我很重要”,这说明它仍然保留动词的特征,没有完全获得名词的一般特征,所以我们仍然把“支持”看作是动词。同样,在“木头桌子”中,“木头”虽然做了定语,不能受名量短语和其他定语修饰,但是这里的“木头”并没有具备形容词的一般语法特征,如不能受副词修饰,不能做谓语,所以“木头”不应看作是形容词,还应看作是名词。同时,我们还可以看到,“我们都支持他”“你的支持对我很重要”中的“支持”意思基本相同,“一根木头”“木头桌子”中“木头”的意思也基本相同。所以,“支持”和“木头”各属一个词类,不存在兼类的问题。

现代汉语中有些词确实存在兼类现象,它们具有两类或多类词的一般语法特征。如“报告”,在“他已经向上级报告了最新情况”中做谓语中的中心语，受“已经”和介词短语等状语修饰，后带宾语和动态助词“了”，具有动词的一般语法特征，是动词。在“他写的三份报告都得到了上级的好评”中，“报告”做主语中的中心语，受名量短语等定语的修饰，具有名词的一般语法特征，同时它不能受副词修饰，也没有动词的其他任何语法特征，应该看作是名词。而且，这两个“报告”的意思也不一样，所以“报告”兼做动词和名词。

同样，在“这是一个美好的理想”中，“理想”具有名词的一般语法特征，是名词；在“工程的进展很理想”中，“理想”具有形容词的一般语法特征，没有名词的任何语法特征，应该看作是形容词。而且这两个“理想”的意思也不一样，所以“理想”兼做名词和形容词。

常见的兼类词还有：

兼名、形的：科学、标准、经济、民主、困难、矛盾
兼动、名的：病、建议、决定、领导、参谋、计划、通知
兼形、动的：破、忙、明确、端正、丰富、密切、繁荣
兼形、动、名的：麻烦、方便、便宜

兼类词的词义之间是有明确联系的。如果两个词形式相同，而意义之间没有联系或已失去联系，这就属于同形词了。如责怪义的动词“怪”和奇怪义的形容词“怪”，就只是同音同形而已，不是兼类。

有些词本来是甲类词，临时借用为乙类词，这种现象叫词的活用，不是兼类。如“我平时都喝葡萄酒，如果今天大伙儿都喝二锅头的话，我也只好二锅头一下了”。这里，后一个“二锅头”是名词活用为动词。又如“眼光放远点儿，别太近视眼”。这里的“近视眼”是名词活用为形容词。

词的活用往往是在特定的条件下，为了表达上的需要而进行的临时借用，具有特殊的修辞效果。下面这些例子就不属于活用，而是误用了。

① * 他手里拿着一把不太规格的螺丝刀。
② * 黄大姐的工作很模范。
③ * 两年前他被借调到地质勘探所科研去了。
④ * 只有进一步改善环境，提高居民素质，才能相称创建文明城

市的需求。

⑤ *刚才来的是一位男性。

例①②是名词“规格”“模范”误用为形容词，例③是名词“科研”误用为动词，例④是形容词“相称”误用为动词，例⑤是区别词“男性”误用为名词。

思考与讨论

近年来汉语中出现了越来越多的程度副词修饰名词的现象，如“很淑女”“很中国”“很奶油”等。请你再举出一些类似的例子，并说明该如何看待这种新兴说法。

第四节 短语

一、短语的结构类型

短语，也叫词组，是词和词按照一定的结构方式组合起来的语法单位[①]。它没有句调，是一种造句单位。

按照不同的结构方式，短语可分为多种类型。

（一）主谓短语

主谓短语表示陈述关系。主语在前，谓语在后（以“/”为界）。主语是陈述的对象，即谁或什么；谓语说明主语怎么样或是什么。例如：

飞机/起飞　　阳光/明媚　　今天/星期天
加班/很累　　蝴蝶/是昆虫　　他/能力强

（二）动宾短语

动宾短语表示支配或关涉的关系。动语在前，宾语在后。动语表示动作或行为，宾语是受这种动作或行为支配、关涉的对象。

---

① 短语可以由实词和实词组合而成，也可以由实词和虚词组合而成。以前曾进行区别，把实词和实词的组合叫“词组”，把实词和虚词的组合叫“结构”。这里统一为“短语”。

例如：

讨论/问题　　晒/太阳　　受到/表扬　　害怕/孤独

(三) 偏正短语

偏正短语表示修饰、限制的关系，修饰语(偏)在前，中心语(正)在后。可以细分为两类：

1. 定中短语。定语在前，中心语在后。定语修饰限制中心语的属性、质料、数量和领属等。有时定语后使用结构助词“的”。例如：

新/方案　　野生/动物　　我的朋友　　聪明的孩子

2. 状中短语。状语在前，中心语在后。状语修饰限制中心语的方式、情态、程度等。有时状语后使用结构助词“地”。例如：

特别/响亮　　慢慢/看　　向左/转　　不/知道　　拼命地跑

(四) 中补短语

中补短语表示补充、说明的关系。中心语在前，补语在后，补充说明中心语的结果、情态、趋向、程度等。有时补语前使用结构助词“得”。例如：

解释/清楚　　开/出去　　看了/两遍　　妙得很

高兴得合不拢嘴

以上四种类型中，主语和谓语、动语和宾语、修饰语和中心语、中心语和补语都是相对待的，也就是说，没有主语就无所谓谓语，没有谓语就无所谓主语，其他亦然。

(五) 联合短语

联合短语表示并列、递进、选择等关系。由两个或两个以上成分联合构成，联合成分之间常常使用顿号或连词“和”“并”“或”等。例如：

唱歌/跳舞　　研究并解决　　乘车或走路　　中国、美国和日本

(六) 同位短语

同位短语一般由两个成分构成，两个成分从不同角度指称同一人或事物。例如：

我们/大学生　　你/自己　　首都/北京　　蔡元培/校长

(七) 连谓短语

连谓短语由两个或两个以上的谓词性成分连用,这些成分一般有时间和事理上的先后关系,中间不用关联词语或标点符号。例如:

上街/买东西　　洗洗/睡　　躺着/看书　　回家/做饭/吃

(八) 兼语短语

兼语短语也是谓词性成分的连用,但它是由动宾短语和主谓短语套叠在一起构成的,动宾短语的宾语兼做主谓短语的主语。例如:

请他来　　选我当代表　　催他办理手续(“他”“我”“他”是兼语成分)

以上四种类型中,短语的构成都是同类成分连用,其中联合和连谓短语可以是三个甚至三个以上成分的连用。

(九) 量词短语

量词短语由数词或指示代词加量词构成,包括数量短语和指量短语两类。例如:

六/本　　三/件　　两/趟(数量)
这/个　　那/种　　哪/位(指量)

(十) 方位短语

方位短语由方位词直接附在名词或动词等词语后构成,主要表示处所、时间或范围。例如:

房间/里　　考试/中　　二十岁/以上　　做完了手术/之后

(十一) 介词短语

介词短语由介词附在名词等词语前面构成,表示与动作相关的时间、处所、对象、范围、方式、条件、原因等。例如:

从/现在　　把/花瓶　　为/荣誉　　对于/在公共场所抽烟这种行为

(十二) “的”字短语

“的”字短语由结构助词“的”附在实词性成分后面构成,指称人或事物。例如：

蓝色/的　　漂亮/的　　该来/的　　想去旅行/的

（十三）“所”字短语

“所”字短语由助词“所”加在动词前构成，指称动作行为支配、关涉的对象。例如：

所/见　　所/问　　所/引用　　所/关心

（十四）比况短语

比况短语由比况助词“似的”“一样”“（一）般”附在名词或动词等词语后构成，主要用来表示比喻，有时也表推测。例如：

猴子/似的　　打雷/一样　　雄鹰/般　　要下雨/似的

以上六种类型的短语都由某一特定的词（“的”“所”“似的”“一样”“一般”）或词类（量词、方位词、介词）加上其他词语构成，这些特定的词或词类也成了这些短语的形式标志。

二、复杂短语及其结构分析

简单的短语至少由两个词构成，但在许多短语中，大的短语内还包含小的短语，这就是复杂短语。如“学习汉语语法”就是一个复杂的动宾短语，它的宾语“汉语语法”又是一个定中短语。复杂短语实际上是由词先组合成简单短语，再由简单短语组合而成的。上面的例子中，“汉语”和“语法”先组合成“汉语语法”，再与“学习”组合成“学习汉语语法”，这种短语内部词语组合的先后次序，就叫“层次”。简单短语只有一个结构层次，复杂短语包含两个或多个结构层次。

对于复杂短语，既要了解结构层次，又要了解结构类型。我们可以采取从大到小、逐层解剖的方法，一直分析到词为止。这种分析方法叫作层次分析法。例如：

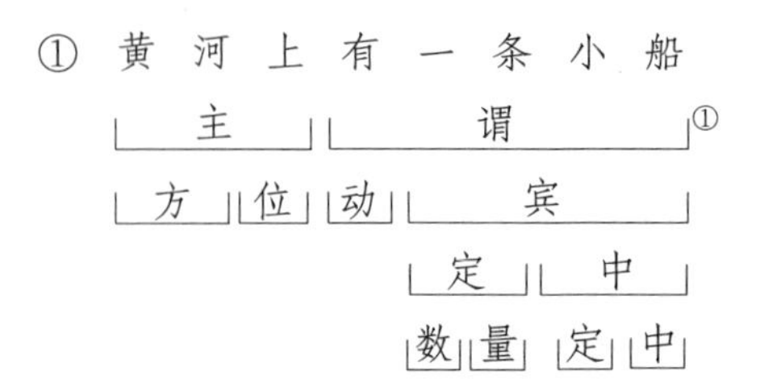

“黄河上有一条小船”整个是主谓短语,由主语“黄河上”和谓语“有一条小船”构成。主语是方位短语,由“黄河”和“上”构成,谓语是动宾短语,由动语“有”和宾语“一条小船”构成。其中宾语是定中短语,由定语“一条”和中心语“小船”构成,定语“一条”是数量短语,中心语“小船”是定中短语。到“黄河”“上”“有”“一”“条”“小”“船”时都已经是词,就不再往下分析了。

从例①可以看到,自上而下,每一个结构层次都可以切分出两个成分,它们就是构成这个层次短语的直接成分。如“黄河上”和“有一条小船”是“黄河上有一条小船”的直接成分,“小”和“船”是“小船”的直接成分,其余可类推。层次分析法,实际上就是找出每个层次的直接成分,因此也叫“直接成分分析法”。除了联合短语、连谓短语和兼语短语外,大多数短语的直接成分一般都是两个,所以又叫“二分法”。

分析复杂短语的层次和关系时,要符合以下三个要求。

第一,切分出来的直接成分都应该是可成立的语言单位,或者是词,或者是短语。例如:

② 妈妈寄来的包裹　　　妈妈寄来的包裹
a.　　　　　　　　　　b.

例②a 的切分是合理的,b 的切分不合理,因为“的包裹”在汉语中是不成立的。

第二,切分出来的直接成分应该能够搭配。例如:

③ 两所大学的教师　　　两所大学的教师
a.　　　　　　　　　　b.

---

① 在标注短语结构类型的时候,为方便起见,只取该短语名称的前两字,分别标注在方框内,如主谓短语标注为“主|谓”,中补短语为“中|补”,介词短语为“介|词”,方位短语为“方|位”,“的”字短语为“的|字”,其余类推。

例③a 的切分是合理的，b 的切分不合理，因为“两所”和“大学的教师”虽然是合乎语法的单位，但是它们不能搭配。

第三，切分出来的直接成分搭配起来的意义要符合整个结构的原意。例如：

④　飞快地跳下床跑出去　　　　飞快地跳下床跑出去

a.|___| |______________|　　b.|______________| |______|

例④a 的切分是合理的，b 的切分不合理。虽然 b 的切分表面上符合第一、第二个要求，但是整个短语的意思应该是“飞快”修饰“跳下床跑出去”，b 的切分只有“飞快地跳下床”这个意思，不符合整个结构的原意。

下面我们再来分析几个复杂短语。

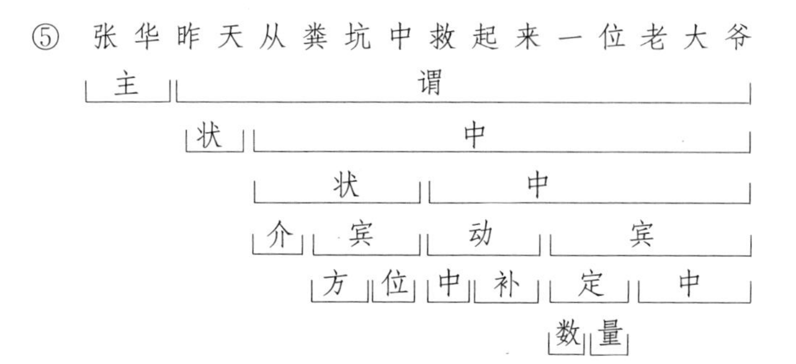

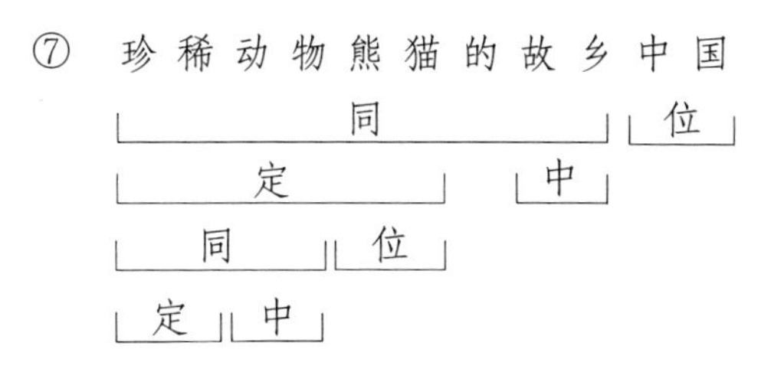

⑧ 派代表去纽约参加有关全球气候的会议

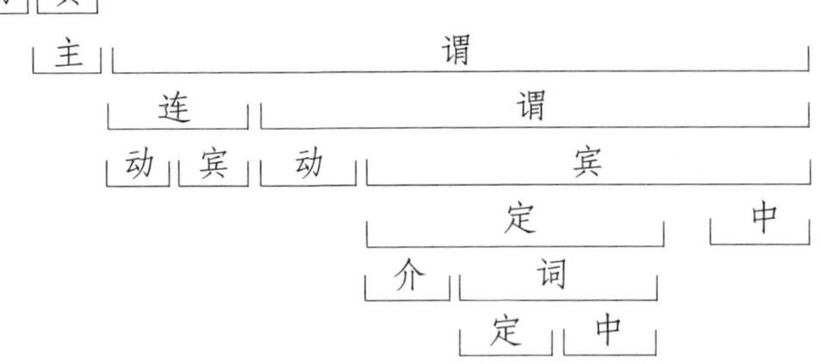

三、多义短语

只有一个意思的短语叫单义短语,不止一个意思的短语叫多义短语。比如“鸡不吃了”有两个意思:一个是不吃鸡,一个是鸡不吃东西了。造成多义的因素有很多,这里我们主要介绍由语法因素造成的三种多义短语。

第一,由结构层次的不同造成的多义短语。例如“两个公司的职员”,层次切分可以在“两个”与“公司的职员”之间,也可以在“两个公司的”与“职员”之间,层次切分不同,整个短语的意思不同。

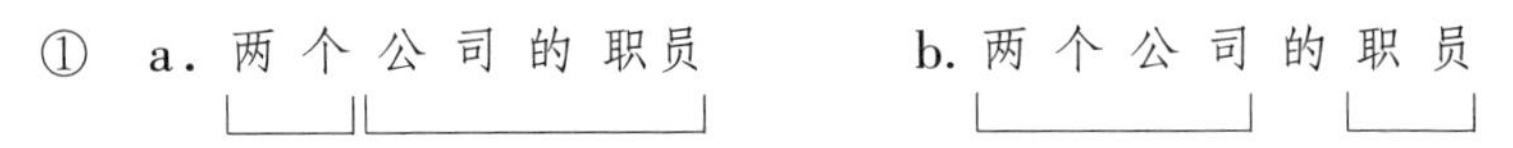

其他类似的例子还有如“新教师宿舍”“江苏和广东的部分地区”“咬死了猎人的狗”等。

第二,由语法结构关系的不同造成的多义短语。例如“出租汽车”,虽然只能在“出租”与“汽车”之间切分,但两者之间既可以理解成动宾关系,又可以理解为定中关系,结构关系不同,整个短语的意思不同。

② a. 出租汽车　　b. 出租汽车

动 宾　　定 中

第三,由语义结构关系的不同造成的多义短语。例如“反对的是组长”,用层次分析法分析,其结果是:

```
③  反 对 的 是 组 长
   |__主__||__谓__|
   |的||字||动||宾|
```

但是“反对”与“组长”之间可以是动作与施事的关系，也可以是动作与受事的关系，语义关系不同，整个短语的意思也不同。

上面三类多义短语中，第一、第二类可以用层次分析法把它们区分开来。试对比：

```
④  a. 我 们 五 个 一 组              b. 我 们 五 个 一 组
      |主||____谓____|                 |____主____||谓|
            |主||谓|                   |同||位||数||量|
            |数||量||数||量|                 |数||量|

⑤  a. 需 要 修 订 教 材              b. 需 要 修 订 教 材
      |动||____宾____|                 |动||____宾____|
            |动||宾|                         |定||中|

⑥  a. 关 于 张爱玲 的 书             b. 关 于 张爱玲 的 书
      |介||____词____|                 |____定____|  |中|
            |__定__|  |中|             |介||词|
```

第三类由语义结构关系不同造成的多义短语，无法用层次分析法来辨析，如例③有两种意思，但只有一种切分结果。这时我们可采用其他方法，比如标记出不同的语义结构关系：

反对的是组长——a. 是反对组长的（“组长”是受事）
　　　　　　——b. 是组长反对的（“组长”是施事）

复习与练习（四）

一、复习题

1. 什么是短语？短语能分出哪些结构类型？

2. 怎样分析复杂短语？进行层次分析的时候要注意什么？

3. 什么是多义短语？多义短语主要有几种类型？怎样分化多义短语？

二、练习题

1. 指出下面短语的结构类型。

慢走	一栋大楼	搬开	严格执行	跳三次
写心得	好得不得了	破纸	所学	继承并发扬
两遍	问题解决	充实内容	非常美丽	珠江以北
那两个	雷鸣般	决定参赛	校长李国明	羞答答地唱
学习上	昨天才买的	请他辅导	鼓掌欢迎	老王近视眼
太可怜	屋子很黑	你的钢笔	暖和多了	进去找一下东西

2. 用层次分析法分析下列复杂短语。

(1) 老李说你知道这个难题应该怎样解决

(2) 在同学们的帮助下

(3) 这个市场每年为国家缴纳七百万税款

(4) 请获奖的同学给大家谈谈体会

(5) 月亮从云后面慢慢钻出来

(6) 躺着写东西很难受

(7) 去北京路逛街

(8) 老舍的小说我看了几本

(9) 美丽神秘的香格里拉对游客具有极大的吸引力

(10) 我的中学同学刘继科去年已经从中山大学毕业了

(11) 树林里跳出两只小松鼠

(12) 她当班主任已经三年了

(13) 这本书是在出版社的书店买的

(14) 最早的麻醉药麻沸散的发明者华佗

3. 指出造成下面短语多义的原因。

(1) 学习经验

(2) 撞倒小孩的自行车

(3) 连主任都打

(4) 姐姐和弟弟的朋友

4. 用层次分析法分化下面的多义短语。

(1) 穿好衣服

(2) 要复印资料

(3) 几个兄弟院校的代表

(4) 张兰和李桐的同事

(5) 望着远处的学生

(6) 我想起来了

(7) 他知道这件事没关系

【课程延伸内容】

短语的功能类型

短语由两个或两个以上的词构成，但每个短语充当句法成分的时候，有着与词相似的语法功能。根据短语能充当什么样的句法成分，能和什么样的成分组合，和哪一类词的功能相当，可以分为名词性短语、谓词性短语等类型。

(一) 名词性短语

经常充当主语、宾语，语法功能与名词相当。包括定中短语、由名词性词语组成的联合短语、同位短语、方位短语、"的"字短语、"所"字短语(下面例子中加着重号的成分)。例如：

① 两岁的孩子会说很多话了。(定中短语做主语)

② 桌子上摆着笔、墨、纸、砚。(方位短语做主语，联合短语做宾语)

③ 提出这一观点的是吕叔湘先生。("的"字短语做主语，同位短语做宾语)

④ 所答非所问。("所"字短语做主语、宾语)

(二) 谓词性短语

经常充当谓语或谓语中的中心语，语法功能和谓词(动词和形容词)相当。包括动宾短语、状中短语、中补短语、连谓短语、兼语短语、由动词和形容词性词语组成的联合短语。例如：

① 这批留学生都通过了汉语水平考试。（动宾短语做谓语中的中心语）
② 大家马上行动！（状中短语做谓语）
③ 今天的鱼新鲜得不得了。（中补短语做谓语）
④ 奶奶上街买菜去了。（连谓短语做谓语）
⑤ 教练让他做五十个俯卧撑。（兼语短语做谓语）
⑥ 他儿子活泼又聪明。（联合短语做谓语）

主谓短语也是谓词性短语，通常加上句调就是一个完整的句子，但也可以充当句法成分。例如：

⑦ 班主任还不知道。（句子）
⑧ 这件事情班主任还不知道。（主谓短语做谓语）

除了以上经常充当主语、宾语和谓语的短语外，有些短语则经常充当定语、状语或补语。这些短语主要有介词短语、量词短语、比况短语。

介词短语主要做状语，有时也能充当补语或定语。例如：

⑨ 他终于把《红楼梦》看完了。（做状语）
⑩ 他俩漫步在波光粼粼的东湖边。（做补语）
⑪ 这本书介绍了对于宇宙起源的几种不同看法。（做定语）

量词短语根据量词的不同可以分为名量短语和动量短语。名量短语常做定语，也可以做主语、宾语和谓语等。例如：

⑫ 幼儿园的小朋友给我们唱了一首歌。（做定语）
⑬ 三个居然打不过一个。（分别做主语和宾语）
⑭ 一人一个。（分别做主语和谓语）

动量短语常做补语和状语。例如：

⑮ 这部电影我已经看过三次了。（做补语）
⑯ 你这回可跑不掉了。（做状语）

比况短语常做定语、状语、补语，有时也做谓语。比况短语有两种格式，一是“……似的/一样/（一）般”，另一种是“像/好像/如同……似的/一样/(一)般”,它们的语法功能是一样的。例如：

⑰ 每一个特警队员都有钢铁般的意志。(做定语)
⑱ 他火烧屁股似的跑掉了。(做状语)
⑲ 你的字写得好像鬼画符一样,难看死了。(做补语)
⑳ 他这么大个人还像孩子一样。(做谓语)

思考与讨论

试谈现代汉语短语的结构类型和功能类型之间的关系是怎样的。

第五节　句法成分

本章第一节曾简略介绍了主语、谓语、动语、宾语、定语、状语、补语、中心语八种句法成分,下面将从它们的构成和语义类型等方面作详细的说明。另外我们还将介绍句子的特殊成分“独立语”。

一、主语和谓语

(一) 主语的构成

主语一般由名词性词语充当。例如(“‖”前为主语)：

① 钱嫂‖板着脸不理他。(名词)
② 六‖是三的两倍。(数词)
③ 她们‖都是十岁左右的小姑娘。(代词)
④ 中国和俄罗斯‖都投了反对票。(联合短语)
⑤ 中国西南的水力资源‖很丰富。(定中短语)
⑥ 十尺‖为一丈。(数量短语)
⑦ 卖爆米花的‖走开了。(“的”字短语)
⑧ 咱们俩‖去献血吧。(同位短语)
⑨ 昨天‖是中秋呢。(时间名词)
⑩ 广场上‖一片狼藉。(方位短语)

以上例①—⑧是表人和事物的名词性词语做主语,例⑨⑩是表时间和处所的名词性词语做主语。需要注意的是,当这两类名词性词语在谓语中的中心语前同时出现时,表示人和事物的做主语,而表示时间、处所的就做状语了。例如:

⑪ a. [那时],我‖正在海军服役。
  b. 我‖[那时]正在海军服役。
⑫ [广场上],人们‖正兴高采烈地唱着歌。

在一定的条件下,谓词性成分也可以充当主语。例如:

⑬ 散步‖是一件很享受的事情。(动词)
⑭ 快乐‖使人变得年轻。(形容词)
⑮ 英语学习中,听、说、读、写‖都很重要。(动词性联合短语)
⑯ 把这间屋子打扫干净‖太不容易了。(状中短语)
⑰ 情绪不稳定‖是你最大的毛病。(主谓短语)

当谓词性词语充当主语时,它们的谓语成分一般由非动作性的谓词,如判断动词、形容词等构成。

(二) 谓语的构成

谓语一般由谓词性词语充当。例如("‖"后为谓语):

① 他‖离开了。(动词)
② 院子里‖暖和。(形容词)
③ 屋里‖很亮堂。(状中短语)
④ 部队‖迅速撤离。(状中短语)
⑤ 河边‖凉爽得很。(中补短语)
⑥ 国家主席‖出访欧洲三国。(动宾短语)
⑦ 老先生的字‖豪放而大气。(谓词性联合短语)
⑧ 我们‖冒着大雨继续比赛。(连谓短语)
⑨ 观众‖要求他们加演了一个节目。(兼语短语)
⑩ 我‖头很疼。(主谓短语)

需要注意的是,动词、形容词单独充当谓语受到一定限制,一般要前带状语，或后带补语、助词等。如例③④的形容词和动词前分别带状语“很”“迅速”，例⑤的形容词后带补语“很”，例①的动词后带助词“了”。否则，句子含对比意味，如“这本书厚”，暗含有“别的书薄”的意思。

在一定条件下，名词性词语也可以充当谓语。名词性谓语多用于说明籍贯、人物的特征或者节气、节日、天气等。例如：

⑪ 鲁迅‖绍兴人。（说明籍贯）

⑫ 这个人‖瓜子脸。（说明特征）

⑬ 二月十四日‖情人节。（说明节日）

⑭ 明天‖阴天。（说明天气）

名量短语也可以做谓语，多用于说明人或事物的数量或与数量相关的年龄、价值等。例如：

⑮ 一个人‖两份。（说明数量）

⑯ 一斤西瓜‖一块五。（说明价值）

⑰ 你‖二十五了吧？（说明年龄）

（三）主语的语义类型

根据主语和谓语之间的语义关系，可以把主语分成以下类型：

1. 施事主语

主语表示发出动作、行为的主体，即施事。主语和谓语的语义关系是“施事＋动作”。例如：

① 女排的姑娘们‖打败了所有的对手。

② 大雁‖向南飞去。

③ 晚风‖吹拂澎湖湾，白浪‖逐沙滩。

2. 受事主语

主语表示承受动作、行为的客体，即受事。主语和谓语的语义关系是“受事＋动作”。例如：

④ 所有的对手‖都被女排的姑娘们打败了。

⑤ 这个问题‖我已经考虑过了。

⑥ 青藏铁路‖建成了。

3. 中性主语

主语表示非施事、非受事的人或事物,它和谓语之间呈现出多种语义关系。例如:

⑦ 孩子‖是国家的未来。(主语表判断的对象)

⑧ 管理员‖不小心把钥匙丢了。(主语表动作的当事)

⑨ 一家人‖十分和睦。(主语表描写的对象)

⑩ 喝太多可乐‖不好。(主语表评议的对象)

⑪ 窗台上‖摆着一盆兰花。(主语表存在的处所)

⑫ 这种螺丝刀‖专门拧花形螺丝钉。(主语表动作的工具)

⑬ 一场病‖花了不少钱。(主语表行为的原因)

二、动语和宾语

(一) 动语的构成

动语是支配、关涉宾语的成分,由动词性词语充当,充当动语的可以是单个动词,也可以是动词性短语。动语用“.”标记。例如:

① 他画了一幅素描。

② 马林生的脸上露出一丝意味深长的微笑。

③ 小丽终于拿出了那支新笔。

④ 这次班会讨论并通过了班长的人选。

需要注意的是,状中短语一般不能直接充当动语。如例③中的动语是“拿出”而不是状中短语“终于拿出”,这里的状语“终于”是修饰动宾短语“拿出了那支新笔”的。

形容词不能带宾语,但兼属动词的可以带宾语,如“他红了脸”“多了十块钱”“端正态度”。

(二) 宾语的构成

宾语常由名词性词语充当。宾语用“~~~”标记。例如:

① 那个女孩哭哭啼啼地回了南方。(名词)

② 我们一眼便认出了她。(代词)

③ 斗大的字识不了几个。(数量短语)
④ 我们喜欢清淡点儿的。("的"字短语)
⑤ 队员们都带了睡袋、绳索和帐篷。(名词性联合短语)
⑥ 那家伙用棒球棍打破了五号队员的头。(定中短语)

有时,谓词性词语也可以充当宾语。例如:

⑦ 她的随和后面是清高。(形容词)
⑧ 一些消息开始流传。(动词)
⑨ 他正对这个问题进行调研。(动词)
⑩ 爸爸同意做这个游戏。(动宾短语)
⑪ 他的眼睛里充满了忧郁、不安和怀疑。(谓词性联合短语)
⑫ 我感到鼻孔被堵住了。(主谓短语)
⑬ 班长说午饭后开会。(状中短语)

谓词性词语充当宾语时,动词主要限于以下类别:(1)表心理活动或感知的动词,如"喜欢、后悔、知道、估计、看见、同意、认为、打算、敢于、希望"等;(2)表言谈的动词,如"说、问、告诉、讨论、研究"等;(3)表施以、起止的动词,如"进行、加以、予以、开始、继续、停止"等。

(三)宾语的语义类型

根据动语和宾语之间的语义关系,可以把宾语分成以下类型。

1. 受事宾语

宾语表示承受动作、行为的客体,动语和宾语之间的语义结构为"动作+受事"。例如:

① 那个同学老在玩儿手机。
② 你打开窗户吧。
③ 旅游途中他写了不少游记。

能够带受事宾语的动词叫及物动词,不能带受事宾语的动词叫不及物动词。

2. 施事宾语

宾语表示发出动作、行为的主体,动语和宾语之间的语义结构为"动作+施事"。例如:

④ 墙上爬着一只壁虎。
⑤ 巷口突然蹿出一个小男孩。
⑥ 一条船坐四个人。
⑦ 小狗在晒太阳。
⑧ 烤炉上的羊肉串散发着诱人的香味。

3. 中性宾语

宾语表示非施事、非受事的人或事物,它和动语之间呈现出多种语义关系。例如:

⑨ 李老师也是一位文艺工作者。(宾语表判断的类别)
⑩ 总经理也经常吃食堂。(宾语表行为的处所)
⑪ 楼下超市的营业时间最晚到十一点半。(宾语表行为的时间)
⑫ 这么烈的酒,还是喝小杯吧。(宾语表动作的工具)
⑬ 这份文件一定要寄快递。(宾语表动作的方式)
⑭ 他俩要考研究生。(宾语表行为的目的)
⑮ 外婆着急外公的病老看不好。(宾语表行为的原因)

此外,一些宾语的语义类型很难确定,有待进一步研究。如"吃官司"中的"官司","演奏贝多芬"中的"贝多芬","闯红灯"中的"红灯"。

三、定语

(一) 定语的构成与语义类型

一般的实词和短语都可以充当定语,定语和中心语之间的语义关系也多种多样。定语(用"( )"标记)常见的语义类型如:

表示领属:(我)的老师　(衣服)的颜色　(姥姥)的脾气
表示时地:(去年)的作品　(现在)的情况　(胸前)的徽章
表示指示、区别:(那)时候　(这)地方
表示数量:(一个)念头　(两张)桌子　(三次)机会
表示行为:(谈过)的事情　(做报告)的嘉宾　(妈妈给我)的钢笔
表示归属:(属于他)的东西　(是捕食性)的昆虫
表示内容:(为谁服务)的问题　(小两口吵架)的小事儿

表示性状:(粗浅)的想法 (重要)的会议 (白色)的屋顶

(二) 多层定语

定中短语前头加上定语就形成多层定语。如“大红花”,“红花”是定中短语,前面加上定语“大”,构成两层定语;“大红花”再加上定语“一朵”就构成三层定语。可以线性地标记为“(一朵)(大)(红)花”,也可以用层次分析法分析如下:

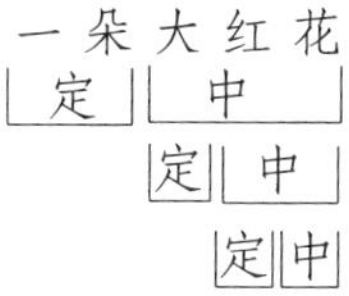

```
一 朵  大 红 花
|定 | |  中  |
      |定||中 |
         |定||中|
```

多层定语的排列有一定的顺序,如“他的大大的眼睛”就不能说成“大大的他的眼睛”。多层定语一般的排列顺序可以用下面特拟的例子来说明:

他去年那一个在教学研讨会上提出的属于伦理学范畴的以大一学生为对象展开传统道德教育的基本构想

从定语的语义类型角度看,上例多层定语的顺序是:领属(他)—时地(去年)—指别(那)—数量(一个)—行为(在教学研讨会上提出)—归属(属于伦理学范畴)—内容(以大一学生为对象展开传统道德教育)—性状(基本)。这也是多层定语排列顺序的一般规律。在具体的句子中,各种定语不一定都出现,一个句子有五层以上定语的情况很少。

多层定语排列的一般规律可以概括为:定语跟核心名词的语义关系越密切,就越靠近核心名词。如在“芳芳的粉色背包”中,“粉色”体现“背包”的固有属性,而作为领有者的“芳芳”则体现“背包”的临时所属,因为“粉色背包”还可以属于其他人,所以形式上“芳芳”离核心名词的距离比较远。

有的定语的排列顺序也有一定灵活性,这往往跟语用因素相关。如“一件刚买的衣服”有时可以说成“刚买的一件衣服”,后者在语用上突出了“刚买的”。又如“带着柠檬和薰衣草的新鲜味道”有时可以说成“新鲜的带着柠檬和薰衣草的味道”，后者突出了“新鲜的”。

需要注意的是，由短语充任的复杂定语不是多层定语。例如：

((我)哥哥)的朋友　（偏正短语做定语）

(美丽富饶)的土地　（联合短语做定语）

上面两个例子，“我”并没有直接修饰“朋友”，而是与“哥哥”组成定中短语后，做“朋友”的定语；“美丽”“富饶”并没有分别修饰“土地”，而是组成联合短语后一起做“土地”的定语。

（三）定语和结构助词“的”

定语和中心语之间什么时候带“的”，什么时候不带“的”，是一个比较复杂的问题，但其中也有一些规律可循，如：

形容词重叠后做定语要加“的”，如“黑黑的脸、圆圆的西瓜、干干净净的鞋子、高高大大的小伙子”。

介词短语和主谓短语做定语时一般要加“的”，如“对他的处理、同世界各国的友谊、游客休息的地方、军容整洁的士兵”。

双音节形容词做定语，通常要加“的”，如“谦虚的人、崭新的包、冰冷的态度、炎热的太阳”。

单音节形容词做定语，通常不带“的”，如“红花、绿叶、新书、旧房子”。

指量短语和数量短语做定语，通常不带“的”，如“这个故事、那些人、三碗汤、四袋苹果”。

一些定中短语里出现不出现“的”，意思不一样。试比较：

孩子的脾气　　孩子脾气

出租的汽车　　出租汽车

中国的音乐　　中国音乐

上例不带“的”的定中短语像某类事物的名称，带“的”的定中短语则不像一个名称。正如要在中山大学的西门门口挂一个牌子标明那是什么地方，我们只能挂“中山大学西门”，不可能挂“中山大学的西门”。

四、状语

（一）状语的构成与语义类型

能够充当状语的词语比较多，包括副词、时间名词、处所名词、能愿动词、形容词（特别是状态形容词）和介词短语、部分量词短语、比况短语、方位短语等（状语用“[ ]”标记），如“[暗暗]下决心、[如今]成了好朋友、[办公室]谈、[应该]有能力、[大方]地打招呼、[朝他]使眼色、[一脚]踢过去、[发疯似的]跳起来、[赛场上]见”。

根据与中心语的语义关系，状语也可以分为不同的语义类型。

表因由（目的、原因或理据）：[为了你]而来　[因这事]埋怨他　[按规则]办事

表时地：[昨天]发了工资　[现场]办公　[在五楼]开会

表语气：[确实]不错　[偏偏]出了问题　[居然]输了

表幅度（范围、频度等）：[都]恢复了　[经常]跑步　[又]发了芽

表否定：[没有]发生　[不]迟到　[别]闹

表关涉：[对船上货物]进行检查　[冲她]笑了笑　[就人事问题]展开调研

表情态：[仔细]观察　[认真]准备　[高高兴兴]地回家

表数量：[一箱箱]地搬进来　[一圈一圈]地跑　[一眼]瞪过去

表程度：[特别]优雅　[真]可爱　[有点儿]累

语法上，状语都是修饰谓词性中心语的，但在语义上，它有时却与主语或宾语有直接联系，即语义上指向主语或宾语，而不是指向后面的中心语。例如：

① 她[自信]地举起了手。（“自信”指向主语“她”）

② 四姐[浓浓]地沏了一壶茶。（“浓浓”指向宾语“一壶茶”）

③ 那位俄罗斯参赛选手[完整]地唱了一首中国民歌。（“完整”指向宾语“一首中国民歌”）

（二）多层状语

状中短语加上状语就形成多层状语。例如：

① 工作人员[因为时间原因][昨天][在现场][确实][都][没有][对所有的申请表格][仔细]地[一项一项]地核查。

在上面特拟的例子中,核心动词“核查”前共有 9 层状语,除了表程度的状语外,包含了状语的主要语义类型。它们的排列顺序依次为:表因由—时间—地点—语气—幅度—否定—关涉—情态—数量,这也反映了多层状语排列的一般规律。

状语一般位于主语之后,但有些也可以位于主语之前。例如:

② [昨天]我们[认真]温习了功课。

③ [对于这个问题],我们[立即]着手解决。

④ [毕竟]师傅[已经]五十多了。

⑤ [为这事]两口子[都]吵起来了。

状语放在句首时,往往有特别的作用,或者强调状语,或者兼顾上下文的连接等。

复杂状语和多层状语不同,试对比:

```
⑥  非 常 认 真 地 研 读
   |____状____|  |_中_|
   |状||_中_|

⑦  热 情 地 跟 他 握 手
   |_状_|   |____中____|
            |_状_||_中_|
```

例⑥是复杂状语,状中短语“非常认真”做“研读”的状语;例⑦是多层状语,第一层的中心语由状中结构“跟他握手”充当。

(三)状语和助词“地”

状语后带不带“地”的问题比较复杂。总的来说,单音节副词做状语时一般不带“地”,表时间和处所的名词、代词、能愿动词、方位短语和介词短语做状语时不带“地”。如“大家[都]参加”“一年级[下午]考试”“我们[拉萨]见”“文章[怎样]写”“他[可以]做证”“老马[从广州]来”。

状语后必须带“地”的情况较少,如“他得意地说”“大家聚精会神地听”等。许多情况下,状语后加不加“地”都可以,加了“地”的往往有强调状语的作用，试比较“轻轻地打开门／轻轻打开门”“特别地认真／特别认真”。

五、补语

（一）补语的构成和语义类型

补语一般由谓词性词语充当，部分数量短语、介词短语也可以做补语；副词“很、极”也常做补语。补语（用“〈 〉”标记）可分为以下几种语义类型。

1. 结果补语

表示动作行为产生的结果。结果补语一般由单个谓词充当，和中心语结合得比较紧密，中间一般不能插入别的成分。例如：

① 火红的柿子挂〈满〉了枝头。

② 这道题做〈对〉了。

③ 把衣服给我洗〈干净〉！（①②③为形容词做补语）

④ 战士们打〈退〉了敌人三次进攻。

⑤ 柏林墙被推〈倒〉了。

⑥ 这张椅子是用紫檀木做〈成〉的。（④⑤⑥为动词做补语）

2. 程度补语

表示性质状态的程度。可以充当程度补语的词语很有限，主要用“很、极”和虚义的“死、透、慌、多、坏、一点儿、一些、不得了、了不得”等。例如：

⑦ 小伙子机灵得〈很〉。

⑧ 她的主意真是好〈极〉了！

⑨ 西瓜已经熟〈透〉了。

⑩ 里面吵得〈慌〉，咱就在这儿谈吧。

⑪ 两国的紧张关系最近缓和〈一些〉了。

程度补语本身没有否定形式，就是说不能在程度补语前加“不、没”等否定副词。

3. 情态补语

表示动作性状呈现出来的情态。情态补语和中心语之间要用助词“得”,口语中有时也可用“个、得个”。情态补语与结果补语不同,它不仅可以是单个谓词,还可以是谓词性短语。例如:

⑫ 流行性感冒来得〈快〉,好得〈慢〉。(形容词做补语)

⑬ 他的态度变得〈很谦和〉。

⑭ 这位选手唱得〈比专业歌手还好〉。(⑬⑭为形容词性偏正短语做补语)

⑮ 风刮个〈没完〉。(动词性偏正短语做补语)

⑯ 大家听得〈热血沸腾〉。(主谓短语做补语)

⑰ 甭管演什么,我都能演得〈叫你们挑不出毛病〉。(兼语短语做补语)

情态补语在一定的语境里可以省略,如:“看你慌得!”“把我气得呀!”这种情况下,“得”后补语的意思要靠听者自己体会。

4. 趋向补语

表示动作行为的走向、方位,或表示在趋向义的基础上发展出来的引申义(如例㉒㉓)。趋向补语都由趋向动词充当。例如:

⑱ 他们爬〈上〉山顶,山风迎面吹〈来〉。

⑲ 这首歌曲勾〈起〉了他对童年的回忆。

⑳ 河那边飘〈过来〉阵阵歌声。

㉑ 你把这些没用的东西拿〈出去〉吧。

㉒ 大家唱〈起来〉啊!(“起来”表开始)

㉓ 我们一定要坚持〈下去〉!(“下去”表继续)

5. 数量补语

表示动作行为的次数或持续的时间。数量补语由表动量和时量的数量短语构成。例如:

㉔ 这本书我已经看了〈几遍〉了。

㉕ 她推了〈一下〉里屋的门。

㉖ 他冲山洞里喊了〈几声〉。(㉔㉕㉖是表动量的短语做补语)

㉗ 游客们在这里住了〈两天〉。

㉘ 我们已经培训了〈三个星期〉了。（㉗㉘是表时量的短语做补语）

6. 可能补语

可能补语可以分为两种类型。

第一种由表示能或不能的“得、不得”本身充当补语，表示动作实现的可能性，与一般补语的“得”不同。例如：

㉙ 这种野果吃得吃不得？（相当于“能吃”“不能吃”并列）

㉚ 他太不谦虚了，批评不得。（相当于“不能批评”）

第二种是在结果补语或趋向补语和中心语之间加“得/不”，表示结果和趋向可能或不可能实现。例如：

干得好——干不好

说得清楚——说不清楚

抬得起来——抬不起来

可能补语的肯定式有时和情态补语字面上相同，如“干得好”可以是可能补语，也可以是情态补语。可用否定或提问形式来区分。例如：

否定：干不好（可能补语）

　　　干得不好（情态补语）

提问：他干得好干不好？（可能补语）

　　　他干得好不好？（情态补语）

换个角度看，“得”后只能是单个词，前后不能再扩展的是可能补语；不受这一限制的是情态补语。

7. 时地补语

表示动作行为发生的时间和处所（包括动作的终止时间和地点），时地补语由介词短语充当。例如：

㉛ 这个故事就发生〈在1992年〉。

㉜ 她渐渐走〈向权力的巅峰〉。

㉝ 把这本画册放〈在书架上〉。

㉞ 他满脑子都是官位和利益，责任和良知却被抛〈往脑后〉。

语法上，补语都是补充说明谓词性中心语的，但在语义上，它有时

却与主语、宾语或其他句法成分直接联系,即语义上指向主语或宾语,而不是指向前面的中心语。例如:

㉟ 老林喝〈醉〉了。("醉"指向主语"老林")

㊱ 大家听得〈兴奋不已〉。("兴奋不已"指向主语"大家")

㊲ 服务员摔〈碎〉了一个杯子。("碎"指向宾语"一个杯子")

㊳ 他从圈里赶〈出来〉一群羊。("出来"指向宾语"一群羊")

㊴ 把眼睛都哭〈肿〉了。("肿"指向介词后的"眼睛")

㊵ 这件事情把我弄得〈很狼狈〉。("很狼狈"指向介词后的"我")

(二) 多层补语

中补短语后面又带上补语,就形成多层补语。如"打昏在地上"是中补短语"打昏"再带上时地补语"在地上"。

多层补语的一般排列顺序是:结果补语—时地补语或数量补语—趋向补语。跟多层定语和多层状语相比,多层补语的前后顺序相对固定,不太灵活,具有更大的强制性。例如:

① 大客车翻〈倒〉〈在距公路面 40 米的深沟里〉。(结果补语+时地补语)

② 一只兔子逃〈向麦田深处〉〈去〉了。(时地补语+趋向补语)

③ 他把一只麻雀打〈落〉〈到地上〉〈来〉。(结果补语+时地补语+趋向补语)

(三) 补语、宾语的辨别和顺序

补语和宾语都出现在动词后面,有时会混淆。动词后出现以下三种词语时,要注意区分它们是补语还是宾语。

(1) 谓词性词语,如"喜欢干净—洗刷干净"。

(2) 数量短语,如"读了三本—读了三遍"。

(3) 表示时间的词语,如"浪费了三天—写了三天"。

第(1)种情况可以用不同的提问方式来判断。"喜欢干净"可以用"喜欢什么"来提问,"干净"是宾语;"洗刷干净"可以用"洗刷得怎么样"来提问,"干净"是补语。

第(2)种情况可以根据量词的类别来判断。"本"是名量词,"三本"

做宾语;“遍”是动量词,“三遍”做补语。

第(3)种情况可以用能否换成“把……给……”的格式来判断,或看能否用“什么”对表时间的词语进行提问。“浪费了三天”可以换成“把三天给浪费了”,还可以用“浪费了什么?”来提问,所以“三天”是宾语;“写了三天”却不能换成“把三天给写了”,也不能用“写了什么?”来提问,所以“三天”是补语。

动词后面同时出现补语和宾语时,一般补语在前,宾语在后。例如:

① 我从图书馆借〈来〉了两本小说。

② 他尝〈尽〉人生的各种味道。

③ 他又看了〈一遍〉那部电影。

不过,数量补语和趋向补语能出现在宾语后,复合趋向补语中间有时还能插入宾语。例如:

④ 我刚才跑车间〈去〉了。

⑤ 他找你〈三次〉了。

⑥ 老张骗了我〈三年〉。

⑦ 那孩子能背〈出〉很多古诗〈来〉。

六、中心语

中心语是与定语、状语和补语相对待的成分,分定语中心语、状语中心语和补语中心语三种。

(一) 定语中心语

“定语+中心语”是名词性的,所以定语中心语一般由名词性词语充当。有时中心语虽然是谓词性的,但整体还是名词性的,可以充当主语、宾语。例如:

① (长时间)的等待——长时间的等待‖让他烦躁不安。

② (你)的大力支持——非常感谢你的大力支持。

(二) 状语中心语

“状语+中心语”是谓词性的,所以状语中心语一般由谓词性词语充当。在特殊条件下名词性词语也可以充当状语中心语。例如：

① 袋子里‖[净]大萝卜。

② 山上‖[光]石头。

③ 这个博士生‖[才]十八岁。

从以上例子中我们可以看到,这种特殊的状中短语都是做谓语的。

(三) 补语中心语

补语的中心语一般由单个动词或形容词充当,少数情况下由谓词性短语充当。例如：

① 这件事的原委才逐渐清晰和明朗〈起来〉。

② 我看你在乎她得〈很〉。

③ 这个小品受欢迎得〈多〉。

上面的例子中,充当补语中心语的“清晰和明朗”“在乎她”“受欢迎”是谓词性短语。

七、独立语

独立语又叫独立成分,是句子才有的特殊成分。它独立于句子的八种句法成分之外,不跟这些句法成分发生语法关系。它可在句首、句中或句末出现,用于表达某些语用意义。独立语可分为插入语、称呼语、感叹语和拟声语四大类(独立语用“△”标示)。

(一) 插入语

常常由一些特定的词语充当,主要用来引起对方注意,表示消息来源、推测估计、总结,等等。例如：

① 你们看,这是何等地有责任心呀!(引起注意)

② 听说,今年房价可能会下降。(表消息来源)

③ 这堆水果,少说一点儿,也有八百斤。(表推测、估量)

④ 总之,问题是相当复杂的。(表总结)

⑤ 这么点儿小事,想不到,就把他得罪了。(表意想不到)

⑥ 您会说普通话吗，请问？（表客套）

⑦ 一般来说，南方人比较细腻。（表话语性质、范围）

⑧ 毫无疑问，今天中国的经济成就是改革开放带来的。（表强调）

⑨ 鲑鱼，也就是三文鱼，胶原蛋白含量极高。（表注释）

⑩ 此外，我想谈谈另一个问题。（表关联或排除）

（二）称呼语

用来呼唤对方，引起注意。例如：

① 妈妈，您在干吗呀？

② 请把我送到机场，师傅。

（三）感叹语

用叹词表达诸如惊讶、感慨、喜怒等感情，也用于应对等。例如：

① 咦，你也在这儿？

② 啊，真气派！

③ 唉，这事怨我。

④ 嗯，我这就去办。

（四）拟声语

用拟声词模拟事物的声音，加强真实感。例如：

① 咚咚咚，锣鼓队进庄了。

② 噼里啪啦，鞭炮声此起彼伏。

③ 呼啦啦，战旗在寒风中肆意翻飞。

注意，叹词和拟声词后面如果用了感叹号，就成了独立的句子；如果后面用逗号，就是句子中的独立语了。

复习与练习(五)

一、复习题

1. 哪些词语可以充当主语、宾语？主语、宾语有哪些意义类型？

2. 哪些词语可以充当谓语？

3. 定语主要有哪些语义类型？多层定语排列顺序的一般规律是怎样的？

4. 状语主要有哪些语义类型？多层状语排列顺序的一般规律是怎样的？

5. 补语有哪些意义类型？多层补语排列顺序的一般规律是怎样的？

6. 如何区分宾语和补语？动词后宾语和补语同时出现时，排列顺序的规律是怎样的？

7. 独立语有哪些类型？各自表达什么样的语用意义？

二、练习题

1. 指出下面各句中的主语，并说明它所属的语义类型(如“你看”的“你”是施事主语)。

(1) 中华民族曾经创造了光辉灿烂的文化。

(2) 石头已经搬开了。

(3) 金色的太阳从东方升起。

(4) 我们要做好本职的工作。

(5) 依我看，他说的有道理。

(6) 跌倒的是一个老太太。

(7) 天空蔚蓝蔚蓝的。

(8) 这些话说得大家都笑起来。

(9) 一床被子盖两个人。

(10) 他们急得一点儿办法也没有。

(11) 桥头上站着一个小女孩。

(12) 这个留学生的普通话讲得很好。

2. 指出下面短语中宾语的语义类型(如“看书”的“书”是受事宾语)。

(1) 照黑白照片　　　(2) 照 X 光

(3) 写黑板　　(4) 写文章
(5) 吃大碗　　(6) 吃面条
(7) 打电话　　(8) 打双打
(9) 起五更　　(10) 起疑心
(11) 死了一头牛　　(12) 跑了一头牛
(13) 喝西北风　　(14) 刮西北风
(15) 得罪了朋友　　(16) 来了个朋友

3. 指出下面短语中定语的语义类型(如领属、数量、时间等)。
(1) 院子里的花　　(2) 昨天的报纸
(3) 一种野草　　(4) 长长的条椅
(5) 秀丽的山村　　(6) 这家伙
(7) 小英的歌声　　(8) 讨论的议题
(9) 优柔寡断的态度　　(10) 姓刘的老师
(11) 属于学校的财产　　(12) 与观众互动的方式
(13) 羊城八景　　(14) 高级精美点心

4. 下面各句中多层定语的排列顺序有错误,试改正。
(1) 这是恶劣的一种十分严重的倾向。
(2) 上个学期,小勇参与了许多中文系里的活动。
(3) 那件他的华达呢深灰上衣式样很好。
(4) 他是我们学校的英语的优秀的有三十年教龄的教师。
(5) 同学们看了一部描写乡村生活的英国的宽银幕故事片。

5. 指出下面短语中状语的语义类型。
(1) 探头探脑地张望　　(2) 明天下午开会
(3) 处处留心　　(4) 非常热闹
(5) 都来了　　(6) 又发言了
(7) 的确好看　　(8) 别来了
(9) 对他好　　(10) 五个五个地数
(11) 为小事吵架　　(12) 向老师敬礼
(13) 多么壮观　　(14) 因病请假

6. 下面各句中多层状语的排列顺序有错误,试改正。

(1) 小雷都不平时从来乱花一分钱。

(2) 陈老师仔细地在资料室又查了一遍。

(3) 他狠狠地便朝那个坏家伙瞪了一眼。

7. 指出下列句子或短语中补语的语义类型。

(1) 他弟弟出去了三年。 (2) 讲得眉飞色舞

(3) 我找了他五次。 (4) 中山大学成立于1924年。

(5) 搬得动吗? (6) 走进来一个推销员

(7) 拿不出来 (8) 跑细了腿

(9) 得意得很 (10) 把意见写在留言簿上

(11) 大家都笑了起来。 (12) 走得满头大汗

8. 说明下面各句中状语或补语在语义上指向哪个成分。

(1) 歌声唤醒了沉睡的森林。

(2) 小溪边孤零零地坐着一个女生。

(3) 一宿舍的人聊得毫无困意。

(4) 飞机炸毁了平民的房屋。

(5) 我被这突如其来的事吓傻了。

(6) 老大爷脆脆地炒了一盘花生米。

9. 指出下面各句中的独立语,并说明它的语用意义。

(1) 这人的背景很复杂,据了解。

(2) 她的诗歌特别是她后期的诗歌,突破了传统形式的束缚,模糊了书面语和口语的界限。

(3) 对这事的处理,丘总,我有不同意见。

(4) 到了这种地步,你看,我还能怎么办?

(5) 哦,意见还不少呢!

(6) 说真的,我不是故意为难你。

(7) 叽叽喳喳,鸟儿在树梢上嬉戏。

(8) 大家提出的方案,不瞒你说,都很难实现。

(9) 老李,你明天来我们公司上班吧。

(10) 总的来说,优点是突出的,但缺点也是明显的。

(11) 从短期看来,这次金融风暴一定会影响到我们旅游业。

(12) 哗,哗,哗,瀑布离我们越来越近了。

(13) 问题看起来还挺严重呢。

10. 用层次分析法分析下面两组短语,并说明它们之间的结构差异。

(1) 一件白色男式纯棉短袖衬衫

鲁镇的酒店的格局的特点

(2) 在会议上流利地用英语演讲

相当耐心地解答

【课程延伸内容】

主语与话题

主语是语法学里的概念;话题是语用学里的概念,话题又叫"主题"。话题是话语的出发点,是说话所要叙述或谈论的对象。

话题通常位于句首,多为名词性成分,所以常跟主语重合。但话题还可以是位于句首的表时间、处所的状语。例如:

① 我们后天出发。

② 后天我们出发。

③ 在北大我们见过他。

例①中的"我们"是主语,也是话题;例②③中的"后天""在北大"是话题,不是主语,是状语。

话题在形式上与主语不同的地方往往表现在:从形式上看,话题后常常可以直接停顿,也可以用语气词"啊""吧""吗""呢"等表示停顿;而主语则不一定。例如:

④ 我,不过是一个小公务员。

⑤ 请客吧,我喜欢自助餐。

⑥ 关于择校,这是令无数家长头痛的一个话题。

⑦ 昨天呢,我们就发现了一处错漏。

例④的"我"和例⑤的"请客"首先是话题,同时也是主语;而例⑥的"关于择校”和例⑦的“昨天”是话题,不是主语,是状语;例⑤的“我”和例⑦的“我们”是主语,不是话题。

思考与讨论

结合词类的功能来看,词类与句法成分之间是否有对应关系?

第六节 单句

句子是具有一个句调、能够表达一个相对完整意思的语言单位,包括单句和复句。单句往往由短语构成,但比短语多一些东西,如语调、语气或独立语等,如“老师,上个星期听说您点名了”,“老师”“听说”是独立语,句末“了”是语气成分,两者都不是短语成分。句子也有一些变化是短语没有的,如句子内部可以有省略和倒装。

一、句型

句型是按照句子的结构特点对单句所作的分类。根据是否能够分出主语和谓语,我们把单句分为主谓句和非主谓句两大类型。

(一) 主谓句

主谓句是由主语、谓语两部分构成的单句。例如:

① 参加奥运会的运动员名单‖已经确定了。(主‖状+动词)
② 鲸鱼‖是一种哺乳动物。(主‖判断动词+宾)
③ 我们‖老担心孩子身体。(主‖状+动词+宾)
④ 洗衣机‖把衣服洗坏了。(主‖状+动词+补)
⑤ 这样的处理‖打破了历来的规矩。(主‖动词+补+宾)

上面例子的谓语都由动词性词语充当,谓语中的核心动词往往前有状语,或后有宾语、补语。这类主谓句叫作动词性谓语句。

⑥ 儿媳妇炒出来的菜‖香喷喷的。(主‖形容词)
⑦ 现在的房子‖相当贵。(主‖状+形容词)

⑧ 这位先生‖对自己的业务很熟悉。（主‖状＋状＋形容词）

⑨ 老范的心里‖乱极了。（主‖形容词＋补）

上面例子的谓语都由形容词性词语充当。谓语中的核心形容词往往是前有状语，或后有补语。这类主谓句叫作形容词性谓语句。

⑩ 孙中山‖，广东人。（主‖定中短语，表籍贯）

⑪ 那个教练‖高高的鼻子。（主‖定中短语，表特征）

⑫ 明天‖晴天。（主‖名词，表天气）

⑬ 她离开广州‖已经好几年了。（主‖状中短语，表时间）

⑭ 这车‖进口的。（主‖“的”字短语，表类属）

⑮ 八个人‖一组。（主‖名量短语，表数量）

上面例子的谓语都由名词性词语充当，这类主谓句叫作名词性谓语句。名词性谓语句的谓语往往限于说明人物的籍贯、特征或者说明时间、天气、类属、数量等，句子形式较短，且一般是肯定形式。

（二）非主谓句

非主谓句指不能分析出主语和谓语的单句。例如：

① 马上出发！

② 注意左转车辆！

③ 小心地滑。

④ 安静！

⑤ 真香。

⑥ 美死了！

⑦ 飞碟！

⑧ 公元二〇〇四年九月十一日。

⑨ 老兄！

⑩ 啧啧！

⑪ 呸！

⑫ 轰！轰！轰！

⑬ 扑通！

以上非主谓句中，例①—③由动词性词语构成，可以叫作动词性非主谓句;例④—⑥由形容词性词语构成,可以叫作形容词性非主谓句;例⑦—⑨由名词性词语构成,可以叫作名词性非主谓句;例⑩—⑬由叹词或拟声词构成,可以叫作叹词句或拟声词句。

非主谓句并不是省略了主语或者谓语,事实上,以上例句是补不出或不需要补出主语或谓语的。

二、句式

根据句法结构中的某种共同特征,我们可以将单句归纳成一定的句式。常见的句式有:主谓谓语句、“把”字句、“被”字句、存现句、连谓句、兼语句、双宾句、比较句等。

(一) 主谓谓语句

主谓谓语句是指由主谓短语充当谓语的句子。如“模特腿很长”中的谓语“腿很长”是主谓短语。我们把整个句子的主语“模特”叫大主语,把主谓短语中的主语“腿”叫小主语。

主谓谓语句可分为以下几种类型。

1. 大主语是受事,小主语是施事。例如:

① 这家的热干面‖他每天早上都要吃一碗。

② 再棘手的事情‖他都有办法解决。

③ 什么样的挫折‖她这个人都不大放在心上。

这类主谓谓语句中,有的大主语可以移位,移位后就变成一般的主谓句了。如例①可变为“他每天早上都要吃一碗这家的热干面”。

2. 大主语是施事,小主语是受事。例如:

④ 他这种常年闯荡江湖的人‖什么样的风浪没经历过。

⑤ 父亲‖一句话也没说。

⑥ 小刚‖英语说得不好。

这类主谓谓语句的小主语有时含周遍性的意义,表示所说没有例外,在语用上往往含有夸张的意味,如例④⑤。

3. 大主语和小主语之间有领属关系。例如:

⑦ 这种树‖叶子很大。

⑧ 老张家的房子‖厨房不大。

⑨ 我们班‖一半人住在三楼。(整体与部分也是领属关系)

这类主谓谓语句,大小主语之间如果插入“的”字,就变成一般主谓句了。如例⑦插入“的”字,就变为“这种树的叶子很大”。

4. 句子的谓语里有复指大主语的成分。例如:

⑩ 这位老板娘‖我很早就认识她了。

⑪ 一个大方的人‖,他不会做这种小气的事。

⑫ 你们两个人‖谁也别埋怨谁了。

例⑩⑪谓语中的“她”和“他”分别复指了“这位老板娘”和“一个大方的人”;例⑫谓语里的两个“谁”复指“你们两个人”中的任何一个。

5. 大主语表示谓语动作行为关涉的对象,它的前面可加介词“对”“对于”“关于”等。例如:

⑬ 旧房改造问题‖政府专门下了一个通知。

⑭ 这件事情‖她亲爸也没办法。

⑮ 女儿的这种抉择‖,父母颇感意外和欣慰。

这类主谓谓语句,如果大主语前面加上“对、对于、关于”等介词后,就变成了介词短语做句首状语的句子,不再是主谓谓语句了,如“关于旧房改造问题,政府专门下了一个通知”。

主谓谓语句内部的语义关系比较复杂,除了以上常见的几种外,还有其他的情况,如“这把刀我切肉”(大主语是工具、小主语是施事),“翻跟头他不行”(小主语是大主语的施事),“她呀,做菜真好吃”(大主语是小主语的施事)等。

主谓谓语句中的“小谓语”大多是动词性的,也可以是形容词性的,以上五种主谓谓语句的小谓语都是如此。少数情况下,小谓语还可以是名词性的。例如:

⑯ 这煎饼‖ 一个多少钱?

⑰ 同学们‖ 一人一个笔记本电脑。

由名词性词语充当小谓语的主谓谓语句多见于口语短句,而且只有肯定式。

(二)“把”字句

“把”字句是指由“把”构成的介词短语做状语的句子。例如：

① 师傅把车修好了。

② 姐姐昨天就把这消息告诉我了。

③ 他把这批货卖掉了一大半。

④ 老人家把看病的事给耽误了。

⑤ 别把身体累垮了。

多数“把”字句能够体现“处置”的意义。所谓“处置”，是指动词所表示的动作行为对“把”字所引出的受事施加影响，使它发生某种变化。“把”字句的构成有一些限制。

第一，“把”字句中的核心动词一般不会是单个动词，特别不能是单音节的动词，如不说“把东西放”“把纸撕”“把黑板擦”。核心动词要么前有状语(如“把东西乱放”)；要么后带补语(如“把纸撕碎”)、宾语(如“把纸撕了一半”)，或带“了”“过”等(如“把纸撕了”)，或者动词是重叠形式(如“把黑板擦擦”)。不过，韵文不受这一限制。

第二，“把”引出的词语，在语用上一般指已知、特定的人或事物，如“你把衣服洗了吧”中的“衣服”是听说双方都知道的那些衣服。

第三，助动词或否定词要放在“把”前，如不说“我把这块大石头能举起来”，应说“我能把这块大石头举起来”；不说“你把鱼缸没清理干净”，应说“你没把鱼缸清理干净”。

第四，“把”字句中核心动词一般是表示处置的及物动词，它对“把”字所引出的受事施加影响，如能说“我把父母接来”，父母因受“接”的影响而发生位置的变化；不能说“我把父母很想念”，这里的“父母”不会受到“想念”的直接影响，也不因“想念”而发生变化。

在日常口语里，我们偶尔也听到“恨不得把一分钱掰成两半儿花”(“一分钱”不是已知、特定的)，“把人不当人看”(否定词在“把”字短语后)，“把个犯人跑了”(“跑”不是表处置的及物动词)。但这些句子不是典型的“把”字句，有特定的语用环境，如“把人不当人看”整体带有熟语的色彩。

（三）“被”字句

“被”字句是指用“被”构成的介词短语做状语表示被动，或在动词性词语前用“被”字表示被动的句子。例如：

① 那只凶恶的老虎被武松打死了。

② 桅杆被狂风吹断了。

③ 奶酪被老鼠咬了一个角。

④ 轮番的轰炸后，这个美丽的小镇被夷为平地。

典型的“被”字句中，主语表示受事，“被”后的名词性词语表示施事。“被”字句的构成有一些限制：

第一，“被”字句的核心动词一般不能是单个动词。往往要么前有状语（如“这个难题被技术部门及时攻克”），要么后带补语（如“对手被我们打败”）、宾语（如“衣服被火星烧出一个洞”）或“着”“了”“过”（如“这辆车被水淹过”）等。

第二，“被”字句的主语，在语用上一般指已知、特定的人或事物。如例①—④中，“那只凶恶的老虎”“桅杆”“奶酪”“这个美丽的小镇”是听说双方都知道的。

第三，助动词或否定词、时间副词一般要放在“被”字前，如能说“这些东西可能被雨弄湿了”，不说“这些东西被雨可能弄湿了”；能说“小红帽没有被狼外婆吃掉”，不说“小红帽被狼外婆没有吃掉”；能说“杯子刚刚被他打破了”，不说“杯子被他刚刚打破了”。

“被”字也能直接附于单个动词前，或构成“被……所”格式，这是古汉语用法的延续。例如：

⑤ 在挪威屠杀惨案中，85 人被害。

⑥ 卫星定位信号经常被干扰。

⑦ 最近，妈妈一直被失眠所困扰。

口语中表被动时，常常不用“被”，而用“让、叫、给”引出施事，其中，“给”还可以直接附于动词前，“叫、让”一般不行。“叫、让”可以构成“让（叫）……给”的格式。例如：

⑧ 饺子全让他吃光了。

⑨ 钱包别给偷了。

⑩ 柜子叫小弟给翻得乱七八糟。

例⑦和例⑨⑩中的“所”和“给”是助词。

(四) 存现句

存现句是指表示何处存在、出现、消失何人或何物的句子,它的格式可描述为“处所词语+动语+表人或物的词语”。存现句适合用来描写、说明环境或景物。例如:

① 园子周围是一人高的木栅栏。

② 中间有一间小屋子。

③ 屋子前面有一口井。

④ 屋子左边墙上挂满了玉米棒子。

⑤ 右边堆着麦秆子。

把上面这五句连起来,就是用来描写农村一幅场景的。

存现句分存在句和隐现句,上面五句都是存在句,表示何处存在何物。上面例①—③用“是”“有”表示单纯存在,“是”“有”有时可以隐去(如“中间一间小屋子”)。例④⑤除了表示存在以外,还表示人、物存在的方式。

存在句有静态、动态之分。例如:

⑥ 台上坐着主席团。(表静态)

⑦ 笼屉里冒着热气。(表动态)

以上两例表面句法结构一样,但深层的语义表现不同。例⑥一类的存在句表示的是一种静态的状态,句中动词含有“某物(人)附着于某处”的含义,它们的主宾语都可以换位,像例⑥可以换成“主席团坐在台上”,又如“墙角站着一个人→一个人站在墙角”,“台上、墙角”是“主席团、一个人”附着的空间点。表静态的存在句中常见的动词还有“躺、靠、贴、倚、趴、挂、插”等。而例⑦一类的存在句表示的是动作的进行状态,它们的主宾语并不一定都能换位,像例⑦就不能说成“热气冒在笼屉里”。即使主宾语能够换位,句中的动词也没有“某物(人)附着于某处”的含义,如“花丛中飞着几只蝴蝶→几只蝴蝶飞在花丛中”,换位前后，“花丛中”都是“飞”这个动作进行的空间范围，而不是“几只蝴蝶”附着的空间点。

隐现句表示何处出现或消失何人或何物。

⑧ 墙头上长出了一丛杂草。　　　（表出现）

⑨ 学校里调来一位女教师。　　　（表出现）

⑩ 昨天监狱里跑了一个犯人。　　（表消失）

隐现句动词后常出现助词“了”或趋向补语。

存现句的宾语一般表示的是未知的、不确定的人或物，宾语中的中心语前常常有数量短语修饰。存现句的主语都是表空间处所的，当它前后出现时间名词时（如例⑩中的“昨天”），应将时间名词看作状语。

(五) 连谓句

连谓句是指由连谓短语充当谓语或直接成句的句子。例如：

① 他把手表放到耳边听了听。

② 余德利抬头发现李冬宝的目光很慌乱。

③ 乒乒回宿舍睡觉了。

④ 大家热烈鼓掌表示祝贺。

⑤ 站着别动！

⑥ 老爷爷拄着拐棍过马路。

⑦ 别揣着明白装糊涂啦。

⑧ 我们有能力打进决赛。

上面例①—③中，连用的谓词性词语表示的动作行为存在客观上的时间先后关系，如例③先“回宿舍”后“睡觉”；例④⑤中，两个连用的谓词性词语之间，前者表示具体的动作，后者是对前面动作的解说，两者之间存在逻辑上的先后关系，如例④“表示祝贺”是对“热烈鼓掌”的解说；例⑥—⑧中，两个连用的谓词性词语之间，前者是后者的陪衬，后者是陪衬下的动作行为，两者之间存在认知上的先后关系，如例⑥“拄着拐棍”是“过马路”的陪衬，例⑦“揣着明白”是“装糊涂”的陪衬，例⑧“有能力”是“打进决赛”的陪衬（前提）。陪衬在前，突出部分在后，这符合一般的认知规律。

所有的连谓句,连用的谓词性词语之间都有先后次序关系(无论是时间的、逻辑的还是认知的),因此它们之间是不能换位的,如例①不能说成“他听了听把手表放到耳边”,即使能说,也是两个句子了。

连谓句中,连用的谓词性词语之间不能有语音停顿或关联词语,它们共同陈述一个主语,即分别与同一个主语发生主谓关系。

连谓句还可以是不止两个谓词性词语连用。例如:

⑨ 她去市场买菜回来做饭吃。

(六)兼语句

兼语句是指由兼语短语充当谓语或直接成句的句子。兼语短语也是谓词性成分的连用,但它是由动宾短语和主谓短语套叠在一起构成的,动宾短语的宾语兼做主谓短语的主语。例如:

① 他早就想赶我走了。(“我”是兼语,是“赶”的宾语,又是“走”的主语)

② 那声音引导着她暂时与厂区生活拉开了距离。(“她”是兼语)

③ 挑剔的母亲又逼着裁缝把做好的衣服修改了两次。(“裁缝”是兼语)

④ 留他们一起吃午饭吧。(“他们”是兼语)

⑤ 地震和海啸令这个国家的经济倒退了十年。(“这个国家的经济”是兼语)

以上五例兼语前的动词“赶”“引导”“逼”“留”“令”都不同程度地具有使令、致使义,这类兼语句也是兼语句中最为典型的。典型的含使令、致使义的动词有“使、让、叫、请、派、催、动员、促使、发动、鼓励、组织、吩咐、命令”等。

还有一些特殊的兼语句。例如:

⑥ 我们选她做生活委员。

⑦ 大家都称他为小诸葛。

⑧ 路上有许多人在赶路。

⑨ 是谁在找我呀?

⑩ 轮到你请客了。

例⑥⑦中兼语前的动词是“选”“称”，类似的还有“聘”“命名”“称呼”“叫”“喊”等，它们具有选聘、称说等意义；兼语后的动词一般是“为”“做”“是”“当”（如“我们叫他做独孤求败”“喊她是睡美人”）。例⑧—⑩中兼语前的动词“有”“是”“轮到”表示领有或存在。

兼语和连谓可以同在一个句子里。例如：

⑪ 局里派办公室王主任到现场做协调工作。

⑫ 你可以回学校找师弟师妹们帮忙。

还有一种是兼语、连谓兼用的句子。例如：

⑬ 你陪我去趟佛山吧。

⑭ 你应该协助我们完成这个项目。

典型的兼语句中，前一个动作行为由主语发出，后一个动作行为由兼语发出；典型的连谓句中，两个动作行为都是由主语发出。而例⑬⑭跟典型的兼语句和连谓句都不同，前一个动作行为由主语发出，后一个动作行为由主语和兼语共同发出。

兼语句跟主谓短语做宾语的句子形式上相似，要注意两者的区别：

兼语句	主谓做宾句
⑮ a. 我请他来。	⑯ a. 我知道他来。
b. * 我请明天他来。	b. 我知道明天他来。
c. 我请他明天来。	c. 我知道他明天来。

两者的区别是：(1)停顿处和加状语处不同，在第一个动词后，兼语句不能有停顿，也不能加状语，而主谓短语做宾语的句子可以；(2)第一个动词性质不同，兼语句的动词多有使令含义，能带主谓短语做宾语的动词多具有言说（如“主席宣布本届会议胜利闭幕”）、感知（如“感觉你好像对他有意见”）和认识（如“我认为这事值得做”）的含义。

（七）双宾句

双宾句是指动语带两个宾语的句子。一般来讲，前一个宾语指

人,可叫“近宾语”;后一个宾语指物或事情,可叫“远宾语”。例如:

① 老神仙给了人参娃娃 一个宝葫芦。
② 还了他 五十块钱。
③ 你们拿了人家 不少好处。
④ 我问你 一件事儿。
⑤ 我们叫他 叶半仙。
⑥ 她又租了我 一间房。

双宾句的主要特点如下:

第一,双宾句的动语限于某些特定语义类别的动词,如表示“给予”“取得”“询问”“称呼”等意义的动词。有些动词的语义有歧义,如“租”“借”“分”既可表示“给予”又可表示“取得”,因此例⑥有两种意思,同样“我借他一支笔”和“他分了我一块饼”也都有两种意思。

第二,近宾语往往是一个词,极少带修饰语;远宾语可以是一个词(如例⑤的“叶半仙”是专有名词),也可以是带修饰语的定中短语(如例①②),甚至是更复杂的成分(如“女教官教我们如何在险恶多变的环境中战胜困难,最终完成任务”)。

第三,近宾语和远宾语之间常常可以停顿,或加逗号,如“历史的教训告诉我们,落后就要挨打”。

(八) 比较句

比较句主要分以下两种类型。

1. 差比句

差比句用于比较性质、程度、数量上的差别。典型的差比句是“比”字句,用介词“比”引进比较的对象,组成介词短语做状语。例如:

① 师傅比我更懂得如何做人。
② 姐姐比我多吃了不少苦。
③ 他跑得比我快。
④ 渔民的光景,一年更比一年强。
⑤ 他现在比以前好多了。

还有一种差比句。例如:

⑥ 改革开放的热潮一浪高过一浪。

这种“形容词＋过＋比较对象”的格式常用于书面语。

差比句还有用否定形式“没(有)”“不如”来表达的。例如：

⑦ 我们这儿冬天没有武汉冷。
⑧ 他的身体不如从前硬朗了。

表面上看，以上两例中的“没有”“不如”可以用“不比”来代替(说成“我们这儿冬天不比武汉冷”“他的身体不比从前硬朗”)，它们的意思大致相当。如果深入地看，它们之间还是有差别的，如以上两例中都可以加“那么”等表示比较的程度，如“我们这儿冬天没有武汉那么冷”“他的身体不如从前那么硬朗了”，但不能说“我们这儿冬天不比武汉那么冷”。这说明用“没有”“不如”所表示的差异程度大于“不比”。

2. 等比句

也叫平比句，用介词“和、跟、同、与”引进比较的对象，比较对象后面有“一样、一致、相同”等词语。等比句中的比较对象与前面的主语所表示的性质、特点相近或者相同。例如：

⑨ 我跟他一样，是南方人。
⑩ 她用的护肤品和你的一样高档。
⑪ 我国在这一方面的法律规定与贵国的法律规定相同。

口语中常用“跟/和”字等比句，而“与”字等比句常用于书面语。

三、单句的核心分析

句子(包括单句和复句)是语言的使用单位，短语和词是造句的备用单位。一个语言单位是不是句子，主要看它有没有完整的句调，句调在书面上用句末标点符号(如句号、叹号和问号)标出。因此，一个以书面形式出现的大于词的语言单位，如果没有句末标点符号，实际上就是短语。短语和句子都是有结构的，结构是有层次的，这是短语和句子的共同特征。从这个意义上说，层次分析法不仅可用于短语分析，也可用于单句分析。例如：

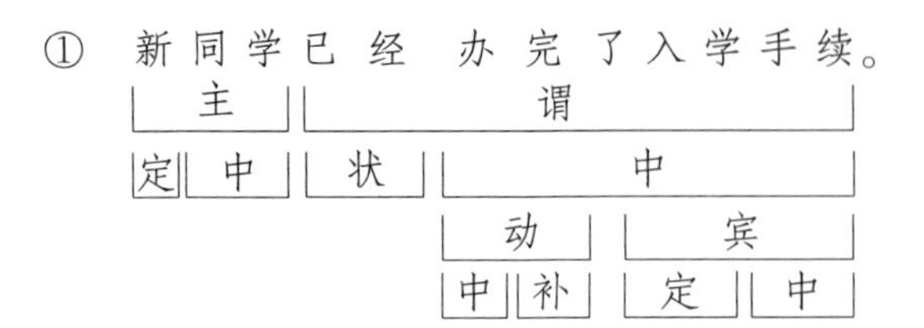

不过,用层次分析法分析单句,有时由于分得过细,过于烦琐,会影响到对句子的主干和基本构架的把握。另外,层次分析法在操作上主要是一分为二,但在单句分析时,有些现象用层次分析法会遇到一定的困难,如对独立语的处理,对兼语句、双宾句、连谓句的处理,等等。

为了便于从整体上认识单句的基本框架,快捷而准确地找到句子的主干,确定全句的核心,我们可以用特定符号直接在单句上面标记相应的句法成分,并标出全句的核心,分析出来的结果简洁、明了。这种方法简单、实用,我们把它称为"框架核心分析法",也称"核心分析法"。下面我们分别用核心分析法和层次分析法对同一个单句进行分析。例如:

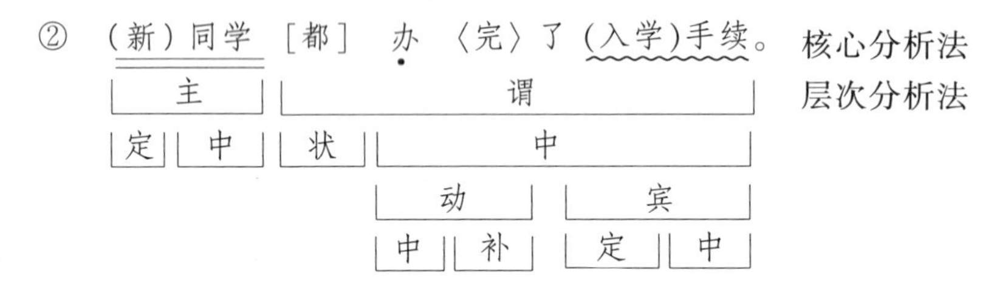

从以上分析可以看出,两种分析法的异同在于:(1)层次分析法是纵向立体的,以阶梯式的图示来呈现,核心分析法大体上是横向线性的,以符号式的图示来呈现;(2)层次分析法要求分析到词为止,核心分析法不一定要分析到词;(3)核心分析法从某种意义上,也可以看成是层次分析法的一种简化。

核心分析法有一整套符号,标记相应的句法成分,它们是:

══	主语
～～	宾语
( )	定语
[ ]	状语

〈　〉　补语

（双波浪线）　兼语

△△△　独立语

．．．　全句核心

全句核心的符号在主谓句中，标记谓语和谓语中的中心语或动语（如在“他看了”“他已经看了”“他看了两次”“他看了一场电影”中，“看”是全句核心）；在非主谓句中，标记动语或中心语（如在“下雨了”“一直在下雨”“下得很大”“好大的雨”中，前三例中的“下”和后一例中的“雨”）。

以下是用核心分析法分析单句的实例：

③ (大)师傅[已经]做〈好〉(可口)的饭菜。

④ [下雨的时候]，(这)(一切)美景[都][被烟雨迷雾]笼罩。

⑤ 姐姐[比我]聪明〈多〉了。

⑥ 我们[都]觉得你的心态越来越年轻了。

⑦ (这种)巧克力酒心的。

⑧ (老)市长拿〈起〉毛笔[在铺开的宣纸上]题写了(几个)(大)字。

⑨ 总务处长邀请(各年级)(学生)代表[就学校的伙食问题][与管理部门]进行对话。

⑩ 奶奶告诉我 (一个)(天大)的秘密。

⑪ (你)(现在)(这样)的成绩，说实话，[很难]拿〈到〉奖学金。

⑫ 下(大)雪了。

⑬ (多么善良)的母亲！

⑭ 冲〈出去〉！

⑮ [向前]看。

上面例③—⑪是主谓句，例⑫—⑮是非主谓句。标有“．”符号的是全句核心，例⑬的核心是定语中心语，例⑭是补语中心语，例⑮是状语中心语。

以上例句有不少句子成分只需分析到短语，如例⑦的谓语“酒心的”（“的”字短语），例⑥的宾语“你的心态越来越年轻了”（主谓短语），例④的全句状语“下雨的时候”（定中短语），例⑧的状语“在铺开的宣纸上”(介词短语),以及例⑬的定语“多么善良”(状中短语)。上述句子成分不必分析到词,这样,这些句子的主干尤其是核心就被清晰地凸显出来了,句型、句式也一目了然。核心分析法对于检查句中的错误也十分有益。

主谓谓语句是一种特殊的主谓句,我们把小谓语中的核心看作是主谓谓语句全句的核心,分析如下:

⑯ (那些)荔枝他吃了不少。

⑰ 老人家身板儿[很]硬朗。

⑱ 广交会一年两次。

上面三例主谓谓语句,小谓语中的核心“吃”“硬朗”“两次”是全句的核心。

对于主谓谓语句的分析,还可以采用层次与核心相结合的办法。例如:

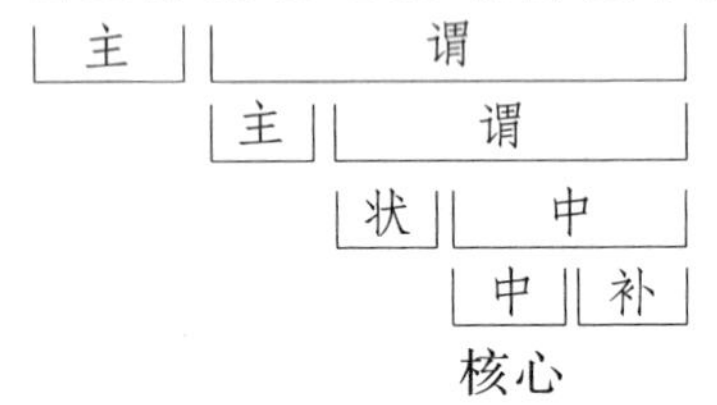

这样,既可反映出主谓谓语句结构层次的全貌,又可以突出全句的核心。

复习与练习(六)

一、复习题

1. 什么是句子?单句和短语有什么区别?
2. 什么是句型?它可以分为几类?
3. 名词性谓语句有哪些特点?
4. 举例说明什么是非主谓句。
5. 举例说明主谓谓语句有哪几种类型。
6. 举例说明“把”字句的特点。
7. 举例说明“被”字句的特点。

8. 举例说明存在句和隐现句的特点。

9. 连谓句中前后谓词性词语之间的关系有哪几种类型？

10. 举例说明兼语句的特点。

11. 举例说明双宾句的特点。

12. 怎么表达差比？怎么表达等比？

13. 核心分析法与层次分析法有何异同？

二、练习题

1. 下列句子哪些是主谓句？它们的谓语由什么性质的词语充当？哪些是非主谓句？由什么性质的词语构成？

(1) 蛇！

(2) 禁止入内！

(3) 我们约会吧！

(4) 这衣服太漂亮了！

(5) 真麻烦！

(6) 这虾二十块钱。

(7) 我的天！

(8) 喵，喵，喵！

2. 指出下列主谓谓语句中大主语与小主语或大主语与谓语成分之间的语义关系。

(1) 这位姑娘眉毛弯弯的。

(2) 田先生毛笔字写得好。

(3) 那么多困难他都一个人克服了。

(4) 护士态度很温和。

(5) 西兰花菜农已收割完毕。

(6) 老雷一个字也没透露。

(7) 那么好的人你怎么看不上他。

(8) 停车难的问题我们一定会想办法解决。

(9) 老杨这样的大厨红烧鱼算得了什么。

(10) 兄弟两个谁也不服谁。

3. 兼语句与主谓短语做宾语的句子有什么不同？请通过下面两

个句子来说明。

(1) 我派他去北京。

(2) 我希望他去北京。

4. 改正下列句子中的错误,并说明理由。

(1) 我已经和梁经理商量好了,把你们公司的产品购买。

(2) 一件事被上级知道了。

(3) 这条短信被他们没有删掉。

(4) 我把他们能一个一个地全赶走。

(5) 今天请大家把这首歌唱,我们明天再讨论要唱的第二首歌。

5. 把下列句子按照括号内的要求进行改写。

(1) 这笔钱我还他。(改成双宾句)

(2) 老太太的情绪不稳定。(改成主谓谓语句)

(3) 一只青蛙从小池塘里跳出来。(改成存现句)

(4) 老林被他说服了。(改成"把"字句)

(5) 她把这匹马调教得很好。(改成"被"字句)

(6) 关于培训的具体时间,我们还没有确定下来。(改成主谓谓语句)

(7) 唐代有个诗人。这个诗人叫李白。(改成兼语句)

(8) 他走过去。他倒了一杯酒。他喝了一口。(改成连谓句)

(9) 这儿的网速比家里快。(改成等比句)

6. 用核心分析法分析下列单句。

(1) 不久,被雷劈中的那棵大树又长出了嫩绿的新芽。

(2) 我习惯喝咖啡不放糖。

(3) 对方的后卫把球踢进了自家球门。

(4) 请大家安静一点儿。

(5) 新来的队友告诉我他也是从新疆生产建设兵团出来的。

(6) 这位老大娘说不定还会送你一双绣花鞋呢。

(7) 你去办公室打电话叫快餐店送十二份盒饭来。

(8) 这个没良心的!

(9) 海上升起一轮明月。

(10) 关山月,广东阳江人。

(11) 细心的室友姚萌看出了陈晓澜的心思。

(12) 我深知老师的心理压力比我们还大。

(13) 他们厂上个月从欧洲购进了一批先进设备。

(14) 在下次董事会上,一定得拿出个让大家都满意的新方案来。

(15) 有一种爱叫放手。

【课程延伸内容】

句式的相互变换

"一句话百样说",通常一个意思有不同的表达。在保持句子意思基本不变的前提下,出于表达的需要,把甲句式变成乙句式,这叫句式的相互变换。它通过移位、替换、添加、删除等方法来实现。例如:

存在句		一般主谓句
① 台上坐着主席团。	↔	主席团坐在台上。
② 小吃摊儿旁边围着很多人。	↔	很多人围在小吃摊儿旁边。
③ 墙上挂着齐白石的画。	↔	齐白石的画挂在墙上。

上面例句中,左边是存在句,右边通过主语和宾语移位、"着"替换成"在",变换成了一般主谓句。变换前后,句子的意思基本不变,但语用上有差异。存在句表达何处以什么方式存在何人何物,处所词语做话题(主语)。变换后的一般主谓句,表达何人何物存在于何处,何人何物做话题(主语)。

一般主谓句		"把"字句		"被"字句
④ 他花光了钱。	↔	他把钱花光了。	↔	钱被他花光了。
⑤ 他打破了杯子。	↔	他把杯子打破了。	↔	杯子被他打破了。
⑥ 他染黄了头发。	↔	他把头发染黄了。	↔	头发被他染黄了。

上面例句中,左边是一般主谓句,中间是"把"字句,右边是"被"字句,它们之间可以通过添加、移位、替换、删除相互变换。一般主谓句陈述一个客观事实,"把"字句表示处置的意义,"被"字句表示被动的意义。

变换有助于认识句子在语义、语用上的异同,提高造句、选句的能

力。此外,变换还可以作为一种方法,帮助我们进一步揭示深层的语法规律。例如:

⑦ 卖了一批设备给工厂。　　买了一批设备给工厂。
⑧ 让了一个座位给老人。　　抢了一个座位给老人。
⑨ 寄了一笔钱给妈妈。　　取了一笔钱给妈妈。

上面左右两组句子的表面结构是一样的,但它们之间还存在深层的差异,这些差异可以通过变换来揭示。左边一组能进行以下变换:

⑩ 卖了一批设备给工厂。 ⟶ 卖给了工厂一批设备。
⑪ 让了一个座位给老人。 ⟶ 让给了老人一个座位。
⑫ 寄了一笔钱给妈妈。 ⟶ 寄给了妈妈一笔钱。

而右边一组不能作以下变换:

抢了一个座位给老人。 ↛ *抢给了老人一个座位。
买了一批设备给工厂。 ↛ *买给了工厂一批设备。
取了一笔钱给妈妈。 ↛ *取给了妈妈一笔钱。

通过变换可以看出,以上两组表面结构相同的句子,实际上可进一步分成两类。造成这种深层差异的主要原因,是句中动词语义特征的不同。“卖”“让”“寄”等动词都具有“给予”的含义,而“抢”“买”“取”等动词不具有这样的含义,它们都具有“取得”的含义。这种某类词所共有的含义就叫语义特征。语义特征“给予”“取得”可分别记作[＋给予]、[＋取得]。

需要补充说明的是,“卖给了工厂一批设备”这类句子应当看作是双宾句,句中的“卖给”尽管不是一个词,但在作句子分析时,应当把它们看作一个整体,尤其是“卖给”后出现动态助词“了”时,即“卖给”一起做动语,后带双宾语。即分析为:

卖给了工厂(一批)设备。

思考与讨论

“把”字句和“被”字句之间是否都可以变换?

第七节　单句的运用

一、句子的语气类别

句子的语气类别也叫句类。人们说话的时候都会带上一定的语气，表示说话人的态度，体现句子的不同用途。与句型和句式不同，句型和句式是根据句法结构对单句的归类，而句类是句子的语用分类。

句子的语气一般分为陈述、疑问、祈使和感叹四种，它们是通过语调或者语气词等手段表现出来的。例如：

① 下雨了。（陈述）
② 下雨了吗？（疑问）
③ 快点下雨吧！（祈使）
④ 哎呀！下雨了！（感叹）

（一）陈述句

陈述语气用来叙述一件事情或者表示一种意见，它是最基本、最常见的语气类型。**表示陈述语气的句子叫作陈述句。**陈述句语调平稳，常常不使用语气词。如果使用语气词，常见的有“了、啦、呢、的、嘛、呗、罢了”等。例如：

① 我进了房间，他也神态诡秘地跟了进来。
② 再睡天就亮了。
③ 你再磨蹭就迟到啦。
④ 她上次来姥姥家过暑假的时候，还是个小学生呢。
⑤ 吃了这剂药，过两天就会好的。
⑥ 不就是二十块钱嘛。
⑦ 想走就走呗，又不是没你不行。
⑧ 没关系，多双筷子罢了。

以上表陈述语气的句子中，例①没有使用语气词。其他例句都使用了语气词，这些语气词体现出了各种细微的语用口气：例②的“了”体现出情况变化的口气;例③的“啦”是“了”和“啊”的合音,不仅体现了情况变化的口气,还增加了一定的感情色彩;例④的“呢”体现了一定的夸张口气;例⑤的“的”加重了肯定的口气;例⑥的“嘛”强调了显而易见的口气;例⑦的“呗”体现了不满的口气;例⑧的“罢了”有往小里说的口气。

陈述句的否定形式一般是在肯定形式的基础上添加否定词“不、没(有)”等构成。例如:

⑨ 你不是一个俗人。

⑩ 本来他是不愿意告诉我们的。

⑪ 你没有放下包袱。

⑫ 其实我们的关系并没公开。

还有双重否定的陈述句,表达的是肯定而不是否定的意思。例如:

⑬ 我们没有不同意。(我们同意了)

⑭ 这事他不会不告诉我的。(这事他一定会告诉我)

⑮ 我爸非打死我不可。(我爸一定会打死我)

不过双重否定跟一般肯定形式在语用上还是有些差别,如例⑬有申辩的口气,肯定的意味较弱,例⑭⑮比一般肯定形式的肯定意味更强烈。

(二) 疑问句

疑问语气用来提出疑问,要求对方回答。**表示疑问语气的句子叫疑问句。**疑问句的语调多为升调。表达疑问的常用手段除升调外,还有语气词、语气副词、疑问代词、肯定否定形式并列等。

按提问的方式,疑问句分为特指问、是非问、选择问和正反问四种。

1. 特指问

提问时用疑问代词代替未知部分即疑问点,答问时针对疑问点来回答。特指问大多不用语气词,如果要用,只能用“呢”或“啊”,不能用“吗”。例如:

① 你为什么不答应他?

② 演讲比赛谁报名了?

③ 她的厨艺怎么样？

④ 广东哪里最好玩啊？

⑤ 中文系一年级有多少个男生呢？

还有一种特殊的特指问，不用疑问代词，而在句末用语气词“呢”。例如：

⑥ 帽子呢？（没有上下文时，相当于“帽子在哪儿？”）

⑦ 这次我只考了80分，你呢？（常有上下文，根据上下文判断疑问点，这里相当于“你考了多少分？”）

2. 选择问

提问时提出两个或者两个以上的选项，让对方选择作答。选项常用“（是）……还是……”连接，常用语气词“呢”“啊”，但不能用“吗”。例如：

⑧ 你喜欢看电影，还是喜欢看电视剧？

⑨ 是留长发好，还是剪短了好啊？

⑩ 你要包子，油条，还是煎饼呢？

口语中，有时也可省去“还是”，如：“明儿你去我去？”

3. 正反问

谓语内用肯定（正）、否定（反）的并列式提问，让对方作肯定或否定的回答，又叫“反复问”。可用语气词“呢”“啊”，带有缓和的口气，不能带“吗”。例如：

⑪ 你们那儿的房子贵不贵呢？

⑫ 还有没有商量的余地啊？

⑬ 你们明天去春游，是不是？

⑭ 下课了没有？

⑮ 你喝汤不喝汤？

⑯ 喜欢不喜欢？

例⑮⑯还可以说成：“你喝不喝汤？”“你喝汤不喝？”“你喜不喜欢？”

4. 是非问

在句末用语气词“吗”“吧”或上升语调提出疑问,要求对方作肯定(“是”)或否定(“非”)的回答。例如:

⑰ 今天是立夏吗?

⑱ 植树节你们植树吗?

⑲ 您是上海人吧?

⑳ 你忘了?

㉑ 你真的要放弃?

例⑲的语气词“吧”有猜度的口气,语调可用降调。是非问语气词不能用“呢”。

以上特指问、选择问、正反问、是非问都是有疑而问,但这四种疑问句形式有时也可以不表达疑问语气,而表达否定或肯定的口气,这种无疑而问的句子叫反问句,也叫“反诘问句”。例如:

㉒ 人家主动帮助你有什么不好?(人家主动帮助你很好)

㉓ 你是来帮忙的,还是来起哄的?(你真是来起哄的)

㉔ 你还讲不讲理了?(你真不讲理)

㉕ 难道你有钱没地方花吗?(你别这么乱花钱)

上面的例子借疑问的形式,加强了肯定或否定的口气。疑问形式相当于一个否定词,因此,反问句的形式和内容相反,即以肯定的形式(无否定词)表示否定,或以否定的形式(有一个否定词)表示肯定。

(三) 祈使句

祈使语气用来要求或希望别人做什么事情或不做什么事情。**表示祈使语气的句子叫祈使句。**祈使句的语调都用降调。例如:

① 举起手来!

② 别出声!

③ 千万别大意!

④ 再给我拿瓶啤酒!

上面的例子分别表示命令、禁止、劝告、请求的口气。如果要说得比较委婉，就可以用“请”、第二人称尊称形式“您”，或者用语气词等来表示。表示请求的口气常用“吧”，表示劝告的口气常用“啊”。例如：

⑤ 请进！

⑥ 您就甭说了！

⑦ 你要好好休息啊。

⑧ 把窗户开一下吧。

祈使句的主语一般是第二人称“你（您）、你们”，即听话人，这种主语往往可以省去不说，因为听话人总是出现在实际语境中。祈使句的主语也有不是第二人称的。例如：

⑨ 咱们开始吧！

⑩ 三班的跟我走！

⑪ 大家别客气啊！

在有些语用环境中，如标语或口号语体等，祈使句多用非主谓句的形式。例如：

⑫ 为人民服务！

⑬ 喝酒不开车，开车不喝酒！

⑭ 把中山大学建设成世界一流水平的大学！

（四）感叹句

感叹语气用来抒发某种强烈感情。**表示感叹语气的句子叫感叹句。**感叹句的语调通常用降调。语气词常用“啊”，句末常用叹号。例如：

① 我的老天爷呀！

② 可把我给吓坏了！

③ 真不像话！

④ 太棒了！

⑤ 唉！ 天知道！

⑥ 烦死了！

⑦ 呸！

上面的例子分别表示惊讶、恐惧、气愤、高兴、无奈、厌恶等口气。感叹句中常用“真、太、多、多么、好”等表示程度高的词语，也常用叹词来独立成句，如例⑤的“唉”、例⑦的“呸”。

二、句法成分的省略

在一定的语境里，根据语用需要，说话时往往会省略一些听说双方都清楚的成分。如果离开了相应的语境，意思就会不清楚，必须补出被省略的成分才行，而且只有一种补出的可能。这就是省略。例如：

① 鲁大嘴拿起高中的课本，V没看几页，V便开始犯晕。(有“V”的地方表示有所省略。这里省略了“鲁大嘴”)

② V快出村口时，V回头再看一眼自己住了十多年的老屋，刘华生的心里一阵酸楚。(省略了“刘华生”)

上面例子中的省略是在上下文中出现的。其中，例①是前头说过，后头省略，这叫“承前省”。例②是因后头就要说到，所以前头省略，这叫“蒙后省”。

③ 问：你去珠海吗？

答：V去V。(先后省略了“我”“珠海”)

④ 甲：你的拦网技术不错啊。

乙：V比您差远了。(省略了“我的拦网技术”)

上面例子中的省略是在对话中出现的，也叫“对话省”。

需要注意的是，省略不同于隐含。在某些句子中，有些成分无法准确补出或补出的可能性不止一种，但是听说双方都能感觉到这个成分的存在，这种现象就叫隐含，如“门上写着四个字：禁止入内”。“禁止”前后都隐含某种语义成分，但无法准确补出，或不止一种补出可能。

三、句法成分的倒装

汉语句法成分的排列次序是主语在前，谓语在后；定语、状语在前，中心语在后等。但有时为了语用的需要，在句子中可以特意改变句子成分的次序，如把主语放在谓语后，定语、状语放在中心语后。这种语用手段叫倒装，倒装的句子也叫变式句。例如：

① 忘锁门了，我！

② 多损哪，这人！

③ 好办哪，这事儿！

上面的例子属于主谓倒装，它能使谓语更加突出，主语一般读得轻一些，有追加的意味。

④ 要那种西瓜，沙瓤的。

⑤ 哪儿去了，刚才？

⑥ 下班了，都。

上面的例子属于定语、状语和中心语之间的倒装，它们能使中心语更加突出，定语、状语往往读得轻一些，也有追加的意味。

以上两种倒装最为常见。书写时，倒装的成分之间一般要用逗号分开，给人以清晰而深刻的印象。

四、常见的句法错误

（一）搭配不当

1. 主语和谓语搭配不当

① * 该基地每年的无公害蔬菜的生产量，除供应本省及周边市场外，还销往甘肃、青海等省。

② * 随着改革开放的进一步深入，我国人民的消费观念、消费水平和消费方式都已经明显提高和转变了。

例①中的“生产量”不能“销往”和“供应”，应去掉“的生产量”。例②中的“消费观念、消费水平和消费方式”与“提高和转变”不能搭配，可改为“我国人民的消费观念、消费方式已经明显转变，消费水平也明显提高了”。

2. 动语和宾语搭配不当

③ * 各地区、各部门力争在较短时间内基本解决职责范围内突出的社会治安状况。

④ * 我们都想为那些失学儿童贡献自己的爱心和义务。

例③中的“解决”与“状况”不能搭配,可把“状况”改为“问题”。例④中的“义务”不能“贡献”,应去掉“和义务”。

3. 定语、状语、补语与中心语搭配不当

⑤ * 酿造一斤蜜需采集50万朵的花粉。

⑥ * 人们都把眼睛转向了食品安全问题。

⑦ * 上次我们对你照顾得太不周全了。

例⑤中的“50万朵”不能修饰“花粉”,应改为“酿造一斤蜜需采集50万朵花的花粉”。例⑥中不能“把眼睛”“转向食品安全问题”,应改为“人们都把目光转向了食品安全问题”。例⑦中的“照顾”与“周全”搭配不当,应把“周全”改为“周到”。

4. 主语和宾语意义上不能搭配

⑧ * 和平路羽毛球馆是经体育局和民政局批准的专门推广羽毛球运动的团体。

⑨ * 重庆的挑花刺绣,与成都一道成为蜀绣的重要产地。

例⑧中的“球馆”不是“团体”,应把“团体”改成“场地”。例⑨中的“刺绣”不是“产地”,可把“的挑花刺绣,”删去。

(二) 成分残缺和多余

1. 成分残缺

(1) 主语、谓语、宾语残缺

① * 在对手轮番的进攻下,造成了球门一次又一次的险情。

② * 她整天在家洗衣、煮饭、带孩子等琐碎的家务活。

③ * 依据纪律处罚办法,决定给予该队员取消参加今年余下所有甲级队比赛资格。

例①中由于滥用介词造成了主语残缺,应去掉“在”和“下”。例②中的“洗衣、煮饭、带孩子等琐碎的家务活”前缺少了动语,应加上动词“干”。例③中的“取消参加今年余下所有甲级队比赛资格”不能充当“给予”的宾语,应在“资格”后加上中心语“的处罚”。

（2）定语、状语、补语残缺

④ * 这篇论文阐明了重要性。

⑤ * 在这个人口不足百人的小村落里，大学生们同吃同住同劳动。

⑥ * 院子里的小树长了。

例④中“重要性”前缺少定语，应根据上下文加上适当的定语，如“语用的”。例⑤实际上想表达的是与当地村民“同吃同住同劳动”，应在“大学生们”后加上状语“与村民”。例⑥中“长”后缺少了补语，可改为“长高了”。

2. 成分多余

（1）主语、谓语、宾语有多余成分

⑦ * 我这次没考好的原因，是因为没有仔细审题。

⑧ * 村长和村支书负责掌管全村的行政事务。

⑨ * 人与人不同的生活轨迹编织成这大千世界的纷繁的生活。

例⑦主语中已出现“的原因”，谓语中又出现“因为”，应删去其中一个。例⑧谓语中的“负责”“掌管”的意思差不多，可去掉一个。例⑨中“这大千世界的纷繁”作为宾语，意思已经完整，后面“的生活”多余。

（2）定语、状语、补语有多余成分

⑩ * 为了那个孩子，年轻的小伙子毫不犹豫地跳进了波涛汹涌的江水中。

⑪ * 有些上班族甚至连下个月的伙食费都提前预支了。

⑫ * 为了精减字数，文章不得不略加修改一下。

例⑩中“小伙子”自然是“年轻的”，这个定语多余，应删除。例⑪中的“预支”已包含“提前”的意思，状语“提前”多余，可删除。例⑫中的“略”已有“一下”的意思，可删除补语“一下”。

（三）语序不当

1. 定语、状语和中心语的位置用错

① * 中国手工艺品的出口，深受西方国家人民的喜爱。

② * 一群小朋友玩耍在小溪旁边。

例①中受喜爱的是“手工艺品”,应改为“中国出口的手工艺品”。例②中应该把“在小溪旁边”提前,做“玩耍”的状语。

2. 定语、状语位置用错

③ * 请柬的封套上古色古香地印着青铜器。

④ * 教师应该激发学生学习的充分的主观能动性。

例③“古色古香”是修饰“青铜器”的,应改为“印着古色古香的青铜器”。例④的“充分”不能修饰“主观能动性”,应改为“应该充分地激发学生学习的主观能动性”。

3. 多层定语、状语语序不当

⑤ * 这批竹简是两千多年前新出土的文物。

⑥ * 我们为弄清一段史实,专门在他出院后不久采访了他。

例⑤中的“两千多年前”是直接修饰“文物”的,应改为“这批竹简是新出土的两千多年前的文物”。例⑥中“在他出院后不久”是表示时间的状语,应放在表示情状的状语“专门”的前面。

(四) 句式杂糅

1. 两种说法混杂

① * 今天的成绩,靠的是全体师生共同努力所取得的。

② * 客房内均配备有电脑、电视、电话、音响、吧台、小冰箱等应有尽有。

例①②把一个事情的两种说法糅在了一起,修改时可取两种说法中的一种。例①应改为“今天的成绩,靠的是全体师生共同的努力”或“今天的成绩,是全体师生共同努力所取得的”。例②应改为“客房内均配备有电脑、电视、电话、音响、吧台、小冰箱等”或“客房内电脑、电视、电话、音响、吧台、小冰箱等应有尽有”。

2. 前后牵连

③ * 当收到上级嘉奖令的时候,大家有一种既光荣又愉快的感觉难以形容。

④ * 他创造性地丰富了书法的表现力是难能可贵的。

例③④把前一句的后半句用作后一句的开头，把两句话连成了一句话，造成了前后牵连。例③应改为“当收到上级嘉奖令的时候，大家有一种既光荣又愉快的感觉，这种感觉难以形容”。例④应改为“他创造性地丰富了书法的表现力，这是难能可贵的”。

复习与练习(七)

一、复习题

1. 举例说明句子的语气类型有哪几种。
2. 举例说明疑问句的类型有哪几种。
3. 什么是反问句？反问句和一般的疑问句有什么区别？
4. 什么是省略？它与隐含有什么区别？
5. 举例说明什么是倒装。
6. 常见的句法错误有哪几种类型？

二、练习题

1. 请按要求改动以下句子。

(1) 我一定会去！(改成双重否定句)

(2) 买黄金比买美元强。(改成反问句)

(3) 能让一让吗？(改成祈使句)

(4) 他才十二岁！(改成倒装句)

(5) 我吃了榴梿以后，我觉得榴梿不好吃。(改成省略句)

2. 以下句子存在错误，请改正并说明理由。

(1) 狗能嗅出爆炸物，是经过战士们的长期训练而获得的。

(2) 他们最终选择放弃了进军手机业务。

(3) 大家怀着一颗敬佩的心情去医院看望受伤的勇士。

(4) 这是一个无疑的英明决策。

(5) 那里有肥沃的大片土地。

(6) 大家高兴得把他送走了。

(7) 对这种严肃的问题，你应该稍微深思熟虑一下以后再发表意见。

(8) 我们为大学生安于学习而欣慰。

(9) 迎面吹来的一阵寒风,不禁使我打了寒噤。

(10) 对于网络用语应该如何规范的问题上,我们曾经展开了激烈的争论。

(11) 博而专的知识积累是我们能否写出好文章的关键问题。

(12) 泰和豆豉相传原产于江西泰和镇而得名。

【课程延伸内容】

句子语气和表达功能

句子的语气和句子整体的表达功能通常是一致的。简单地说,就是陈述句的功能是陈述,疑问句的功能是疑问,感叹句的功能是感叹,祈使句的功能是祈使。但为了表达的需要,有时句类跟句子的功能并不对应。例如:

① 我没去,我怎么知道她在不在场呢?

② 你这么做,还要不要命了?

上面两例,形式上是问句(反问句),实际上是陈述某种观点,语气比用陈述句更强烈些。这就是用疑问形式来表述陈述意思的反问句。

③ 什么是语法?简单地说,就是组词造句的规则。

④ 他知道这事吗?当然知道,只不过他不说而已。

上面两例是自问自答,叫设问。

⑤ 你能把门打开吗?

⑥ 别人都走了,你怎么还不走?

上面两例表面上是问句,实际上表达了请求或劝说。这是用疑问形式来表述祈使意思。

一般情况下,句子的语气类型有它形式上的特征,而且对应于句子的整体表达功能。而上述这种句子语气类型与句子的整体表达功能不对应的情况，却有它特殊的语用价值，如例⑤“你能把门打开吗？”具有商量的口气，比“请你把门打开”更加委婉，礼貌程度也更高，尽管后一句有“请”字。

第八节　复句

一、什么是复句

复句由两个或两个以上的分句再加上一个贯穿始终的句调构成。复句中的分句，既相对独立，又相互依存。例如：

① 小爽听到楼道里人来人往，看看闹钟已经九点了，这才懒洋洋地爬起来，去敲隔壁伍静的门。

上例中的复句包含四个分句，每个分句都互不充当对方的句法成分，具有相对的独立性，分句之间用逗号隔开。但同时这四个分句之间又是相互依存的，它们之间存在逻辑语义关系，这里具体体现的是时间上的先后关系。这种先后关系在形式上可以靠关联词语来明确，如第三个分句的“才”；还可以在第二个分句和第四个分句前分别添加表示先后关系的关联词语“接着”“然后”等，即“小爽听到楼道里人来人往，接着看看闹钟已经九点了，这才懒洋洋地爬起来，然后去敲隔壁伍静的门”。这四个分句之间还因相互依存而承前省略了后三个分句的主语“小爽”。

有时候，复句和单句在表面上看起来相像。例如：

② 因为一点儿小矛盾，彼此就不再来往了。
③ 因为闹了一点儿小矛盾，彼此就不再来往了。

尽管这两例中都有“因为……就……”，但我们仔细分析就会发现，例②中的“因为一点儿小矛盾”是全句的状语，“因为”介引了名词性短语“一点儿小矛盾”，是介词，整个句子是单句。而例③中的“因为闹了一点儿小矛盾”则是表原因的分句，“因为”的后面是谓词性短语，“因为”是连接分句的连词，整个句子是表因果关系的复句。又如：

④ 雷锋精神不但没有过时，而且永远也不会过时。

⑤ 我始终坚持认为,雷锋精神不但没有过时,而且永远也不会过时。

例④是复句,而例⑤中"雷锋精神不但没有过时,而且永远也不会过时"充当"认为"的宾语,整个句子是单句。

在复句中,关联词语是分句间逻辑语义关系的形式标记。各类复句都有常用的关联词语,有些是单用的,有些是配套的。在复句中使用了关联词语的,叫关联法。有些时候,尤其是口语中,复句也可以不使用关联词语,这叫意合法。

二、复句的类型

复句可以按分句间的逻辑语义关系分成两大类。一类是**联合复句,各分句意义上平等并立,无主从关系**;另一类是**偏正复句,各分句意义上不平等并立,有主从关系**。偏正复句由正句和偏句组成。一般来说,偏句在前,正句在后。这两大类复句还可再分为十小类,见"复句分类简表"。

表 5-4 复句分类简表

大类	小类	关联词语	例句
联合复句	并列	(也)……也……	你(也)去,我也去。
	顺承	首先……接着/然后……	首先你去,然后我去。
	解说	就是(说)……	你去,就是说我不去了。
	选择	(是)……还是……	(是)你去,还是我去?
	递进	不但……而且……	不但我去,而且你也去。
偏正复句	条件	只有……才……	只有你去,我才去。
	假设	如果……就……	如果你不去,我就不去。
	因果	因为……所以……	因为你去,所以我也去。
	目的	为的是……	我不去,为的是让你去。
	转折	虽然……但是……	虽然你去,但是我不去。

(一) 联合复句

1. 并列复句

两个或几个分句说明有关联的几件事情或一个事情的不同方面。

这类复句包括平列式、对照式两种。

平列式前后分句之间是平列关系。关联词语以“既……又……”为代表。其他关联词语还有“既……也……”“又……又……”“也……也……”“一边……一边……”“一面……一面……”“一方面……另一方面……”等。例如：

① 通过宏观调控，既保持了经济快速发展的良好势头，又纠正了经济增长中的不健康因素。

② 这种鸡，既可以像饲养普通鸡那样进行笼养，也可以放养。

③ 他一边上学，一边打工挣学费。

④ 这个国家的政府一方面谴责美国对伊拉克的军事占领，另一方面又主动向美国控制下的伊拉克临时管理委员会示好。

有时也只出现一个“又”或一个“也”。例如：

⑤ 地球绕着太阳公转，同时又绕着自己的地轴不停地自转。

⑥ 我妈妈姓冯，我爸爸也姓冯。

也有一些平列式不用关联词语。例如：

⑦ 我是中大的学生，他是中大的老师。

⑧ 风停了，雨住了。

对照式前后分句之间是对照关系。典型关联词语是“不是……而是……”“是……而不是……”等。例如：

⑨ 作家的责任不是用虚构的故事去迎合读者的趣味，而是要探索现实，批评现实。

⑩ 考试是手段，而不是目的。

有时也可只用一个“而是”或“而不是”等。例如：

⑪ 不应该只看个别动作像不像，而是要看舞蹈中表现的情感可能不可能存在。

也有一些对照式不用关联词语。例如：

⑫ 你走你的阳关道，我走我的独木桥。

2. 顺承复句

两个或几个分句按顺序说出时间、空间或逻辑事理上具有先后关系的几件事情。典型的关联词语是“(首先)……接着/然后……”等。例如:

⑬ 首先于一九四〇年十月间重开滇缅路,接着派了一些在敦刻尔克撤退下来的残兵败将来中国学习游击战。

⑭ 我冲他笑了笑,然后继续唱着歌。

“才”“就”“一……就”“便”“又”“于是”等也可以用来表示顺承关系。例如:

⑮ 他在村子里各处仔仔细细地看了个遍,这才上车。

⑯ 冬天过去了,春天就会来到。

⑰ 刚一进门,我就发现今天气氛不太一样。

⑱ 我看了会儿电视,又听了会儿音乐,才回房睡觉。

有些顺承复句不用关联词语。例如:

⑲ 我下了楼,在门口买了几个大红橘子,塞在手提袋里,踏着歪斜不平的石板路,走到那小屋的门口。

⑳ 我让她坐进我的三七炮位里,给她扣上我那沉重的钢盔,告诉她这炮火力相当猛烈。

3. 解说复句

分句间有解释或总分关系,往往是后一分句解说前一分句。典型的关联词语是“换句话说”“(也)就是说”“即”等。例如:

㉑ 这一次,投资者仅仅是“有望收回成本”,换句话说,很可能赔本!

㉒ 文化活动可以导致人们的行为趋同,就是说,人们的心理状态在文化的作用下呈现出一致性。

有时也可以不用关联词语。例如:

㉓ 每个符号对应一种意义,两个或几个符号意义相同,或一个符号表示几种意义的情况不存在。

㉔ 通货膨胀是一种货币现象,过量的货币追逐有限的商品。

解说复句还有一种情况是总分解说。例如：

㉕ 他有两个儿子，一个是记者，一个是公务员。

㉖ 下课后，大伙儿有的在踢毽子，有的在打乒乓球，还有的在跑步，都在积极锻炼身体。

前一例是先总说后分说，后一例是先分说后总说。

4. 选择复句

分句之间有选择关系。共分两种：一种是未定选择，分别说出两种或几种可能的情况，让人从中选择；一种是已定选择，即已选定一种，而舍弃另一种。

未定选择，典型的关联词语是“或者……或者……”“是……还是……”“要么……要么……”“不是……就是……”等。例如：

㉗ 在困难面前，或者当个懦弱的逃兵，或者做个勇猛的战士。

㉘ 毕业后，要么读研，要么出国留学。

㉙ 是主动迎接挑战，还是高挂免战牌？

㉚ 冬至以来，这里不是下雨，就是下雪。

有些关联词语也可以单用。例如：

㉛ 度假我们去海南，还是去马尔代夫？

㉜ 我们在哪些地方做得不对，或者不够令人满意？

已定选择，典型的关联词语是“与其……不如……”“宁可……也不……”等。例如：

㉝ 这次活动与其说是在培养孩子们的吃苦精神，还不如说是给他们一次体验集体生活的机会。

㉞ 宁可血战到底，也不放弃每一寸阵地！

㉟ 这个大男孩，宁可静静地坐着观察蚁群，也不愿去跟伙伴们爬树。

㊱ 许多人宁愿花几百块钱去吃一顿饭，也不愿意花十几块钱买一本书。

关联词语有时也可只用一个“不如”。例如：

㊲ 当官不为民做主，不如回家卖红薯。

㊳ 钱放在手里贬值得太厉害,不如拿出去投资。

5. 递进复句

后面分句在程度、范围、数量等方面比前面分句有更进一层的意思。典型的关联词语是“不但/不仅/不光……而且……”等,这是一般递进关系。例如:

㊴ 做群众演员不但是未来做主角的必经之路,而且是在北京生存的打工方式之一。

㊵ 这样不仅可以帮人家解一时的燃眉之急,还可以借机先锻炼一下自己。

㊶ 不光大家伙儿都省事,你自己也可以少跑两趟嘛。

关联词语“而且”“甚至”“并且”等也可以单用。例如:

㊷ 这让他没了面子,而且还给他带来了不小的经济损失。

㊸ 这下子把我们所有的人都吓傻了,那个叫五哥的鼓手,甚至还当场哭出了声。

㊹ 不知不觉我学会了广州话,并且说得还不错。

除了一般递进,还有一种衬托递进,即其中一个分句意思上衬托另外一个分句。典型的关联词语是“尚且……何况……”“别说……连……”等。例如:

㊺ 在悬崖峭壁间开辟出一条路来尚且不易,更何况是建寺修庙!

㊻ 实际上,当地政府多年来对市场别说干预,连辅助性的行为都很少。

“尚且”“何况”等也可以单用。例如:

㊼ 2001 年的白庙尚且如此贫穷,六年之前就更是可想而知了。

㊽ 回家过年太麻烦了,何况我还没在广州过过春节。

(二) 偏正复句

1. 条件复句

偏句提出条件,正句说出在满足条件后产生的结果。条件复句分为三种。第一种是充分条件句，即有了某个条件，就一定有某种结果。典型的关联词语是"只要/只需/一旦……就/便……"等。例如：

① 只要她一去接电话，孩子就会大哭大闹。
② 一旦有机会，就要全力以赴。

偏句前也可不出现关联词语。例如：

③ 有我杨某在，你就别想翻天！

第二种是必要条件句，即有了某个条件，不一定有某种结果，但没有该条件，就一定不会有该结果。典型的关联词语是"只有……才……""除非……才/否则……"等。例如：

④ 只有做了广泛深入的调查研究，才可能得出让人信服的结论。
⑤ 唯有加深了解，才能相互信任与合作。
⑥ 除非能证明他当时在现场，否则此事与他无关。

"否则""要不然"等也可以单用在正句前。例如：

⑦ 必须尽快改变现状，否则我真的没有出路了。
⑧ 每次出差回来都得给她带礼物，要不然就一定给你脸子看。

第三种是无条件句，即在任何条件下，都会产生某种结果。典型的关联词语是"无论/不管……都/总是……""任凭……都……"等。例如：

⑨ 无论遇到什么困难，我们都不能自乱阵脚。
⑩ 不管你说什么，他总是听不进去。
⑪ 任凭风吹浪打，都毫不动摇。

条件复句一般是偏句在前，正句在后。但出于某种语用需要，也可以将它们倒置。例如：

⑫ 我一定把驾驶执照考下来，只要你给我时间。
⑬ 她坚决不去，除非你陪她去。
⑭ 中国不首先使用核武器，不管是面临核威胁或者是面临核讹诈。

上面例句中，偏句在后，正句在前。这时，正句在语势上得到了加强，偏句则凸显了补充说明的作用。这样的情况也常出现于其他偏正复句中。

2. **假设复句**

偏句提出假设,正句表示假设实现后产生的结果。假设复句分为两种。一种是偏句与正句语意上相一致,即假设某种情况成立,就会产生某种结果。典型的关联词语是“如果……那么/就……”等。例如:

⑮ 如果是一个贪图物质享受的人,他就不会天天把自己关在书斋里做学问了。

⑯ 倘若来不及逃跑,它就会使出装死的伎俩。

⑰ 假使真的没有文明和文化,那么这个世界就像个未成品。

偏句前也可不出现关联词语。例如:

⑱ 一周之内再不把校对稿交给出版社,他们就要改变出版计划了。

偏句后加“的话”也能表示假设。例如:

⑲ 明天下雨的话,活动就会泡汤。

另一种是偏句与正句语意上相背,即假设某种情况成立,原有结果依然不变。典型的关联词语是“即使/哪怕/就算/再……也……”等。例如:

⑳ 即使是海中的庞然大物——鲸,遇见体长达十余米的大乌贼也难对付。

㉑ 就算前面是地雷阵,我也要一往直前。

㉒ 哪怕全家反对,我也要去当兵!

㉓ 孙悟空本事再大,也逃不出如来佛的手掌。

偏句的关联词语也可不出现。例如:

㉔ 现在半夜三更回家,也不用担心安全问题。

㉕ 有一分希望,也要付出一百分的努力。

假设复句也有偏句在后正句在前的情况。例如:

㉖ 他们永远不会得到受害国的原谅，如果他们不真心悔过并道歉的话。

㉗ 我一定要嫁给他，哪怕他是个穷光蛋。

3. 因果复句

偏句表示原因或理由，正句表示结果。因果复句分为说明因果关系和推论因果关系两种，前者的因果关系主要是说明性的，后者的因果关系主要是推断性的。

说明因果复句典型的关联词语是“因为/由于……所以/因此/因而……”等。例如：

㉘ 因为做过多年的幼儿园老师，所以她深知这些孩子此时最需要什么。

㉙ 由于对造成事故的主观原因认识不足，因此导致了此类事故的再次发生。

㉚ 因前一段时间连降暴雨，以致工期一再拖延。

说明因果复句中的关联词语也经常单用。例如：

㉛ 我不知道该信哪一种说法，因此也就无法判断。

㉜ 因为时间太仓促了，他们放弃了这次参赛的机会。

说明因果复句一般是前因后果，但也有相反的情况。例如：

㉝ 我之所以会吃惊，是因为没想到会在这种地方遇见他。

㉞ 我不常逛街，因为我老没时间。

另一种是推论因果复句，典型的关联词语是“既然……就/那么/可见……”等。例如：

㉟ 既然困难这么多，就不必在这件事上浪费时间了。

㊱ 既然选择了雪域高原，那么也就选择了艰苦奋斗。

推论因果复句的关联词语也有单用的。例如：

㊲ 切菜都不会，可见你不会做饭。

㊳ 既然那么高调参赛，他怎么会轻易退赛呢？

4. **目的复句**

偏句表示行为,正句表示行为的目的。目的复句可分为求得和求免两种。求得目的复句的典型关联词语是“……以便/为的是/以求/借以……”等。例如:

㊴ 科学家正在努力探索这一奥秘,以便根据它的原理来研制新的导航仪器。

㊵ 全组人员正在马不停蹄地准备材料填写各种表格,以求能够按时向有关部门递交项目申请书。

㊶ 大勇整天躺在床上看杂志、听音乐,借以打发这茫然无聊的日子。

㊷ 这次中国队派出的全是新人,为的是锻炼队伍。

求免目的复句的典型关联词语是“……以免/免得/省得/以防……”等。例如:

㊸ 物业公司要加强防火设施的维修和保养,以免再次发生警报误响的事件。

㊹ 应该坚持实地调查,免得被二手资料所蒙蔽。

㊺ 离远点儿,省得伤着你。

㊻ 村民自发组织起巡逻队,以防不测。

5. **转折复句**

正句和偏句语意上相反或者相对。转折复句可分为重转、轻转、弱转三种。重转是先让步后转折,转折意味很强,关联词语一般前后配套使用,典型的是“虽然/尽管/固然……但是/但/然而/却……”等。例如:

㊼ 虽然金融风暴使许多国家的国民经济出现了下滑现象,但是我国的国民经济仍然保持了较快的增长。

㊽ 詹先生虽然可以给她带来物质上的富足,却无法给她带来真正的幸福。

㊾ 尽管他赢得了冠军,可是没有赢得人们的尊重。

㊿ 这段描写固然有些夸张,但我国古代宝刀、宝剑之锋利,确非虚传。

轻转的转折意味相对轻一些，正句前往往单用“但是”“然而”“可是”“却”“可”等关联词语。例如：

⑤1 那个高个子肯定是乙班的，但是我想不起他叫什么名字。

⑤2 阳春四月，平原地区的桃花早就凋谢了，可是这里却仍然是一片绯红，桃花含苞欲放，艳丽多姿。

弱转的转折意味更轻，正句前往往单用“只不过”“只是”“不过”“倒”等关联词语。例如：

⑤3 那今晚我请你去看电影好了，只是不知道你的女朋友会不会介意。

⑤4 不知道这句话是谁说的，不过，这并不重要。

⑤5 动物冬眠时，新陈代谢并未停止，只不过非常缓慢。

转折复句的正句有时也可在前。例如：

⑤6 我觉得佳艳的德语水平远在我之上，虽然我的考试成绩比她高。

⑤7 他逃脱不了法律的制裁，尽管他爸爸是李刚。

转折复句比较特殊，它的关联词语“却”等可以跟表并列、递进、假设、因果、条件等关系的关联词语共现，形成一种混合关系复句。例如：

⑤8 这人一面对我言听计从，一面却又在背后搞小动作。（并列＋转折）

⑤9 他不但没有和大家一起撤离，相反却留下来参加了抢险队。（递进＋转折）

⑥0 如果说过去还有点儿糊涂，那么今天却已经是完全清醒了。（假设＋转折）

⑥1 既然情况都了解清楚了，为什么却还要死抓住人家这些小问题不放呢？（因果＋转折）

⑥2 不管我们如何好说歹说，他却仍然是无动于衷。（条件＋转折）

三、多重复句及其分析

复句分为单重复句和多重复句。“重”就是层次，“多重”就是不止一个层次。例如：

① (1)有人由于不讲逻辑,(因|果)(2)因此对别人不合逻辑的言论,不但不能觉察它的荒谬,(递‖进)(3)反而随声附和,(并|||列)(4)人云亦云。(表示关系的文字如“并列”也可放在竖线的顶上)

这个复句是三重复句,由四个分句组成,第一个层次是因果关系,第二个层次是递进关系,第三个层次是并列关系。如下图所示：

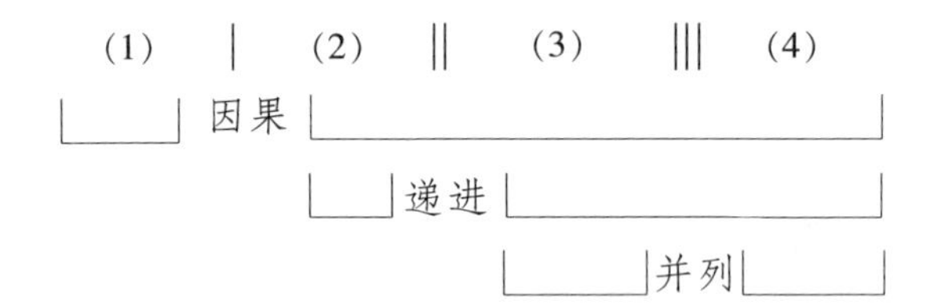

以上两种图示,上面一种是线性图示,下面一种是层次图示。线性图示的层次符号用竖线,“|”是第一层,“||”是第二层,依次类推。分析时,每一层都标明是什么关系。层次图示直观地反映出该复句内的各层次,每一层次的分句间标明是什么关系。线性图示比层次图示操作上更加方便快捷。

与复杂短语的层次分析一样,多重复句中的某一层次的左边分句或右边分句都可能继续往下分层次,而且联合复句的构成分句可以不止两个。例如：

② (1)小松收入微薄,(递‖进)(2)而且上有父母,(并||||列)(3)下有子女,(因|||果)(4)家庭负担不轻,(转|折)(5)但是,为人慷慨大方,(解‖说)(6)经常帮助比他更困难的朋友。

③ 他下了楼,(顺|承)在门口买了几个面包,(顺|承)塞在书包里,(顺|承)然后去了图书馆。

例②是四重复句,例③是单重复句。

分析多重复句,确定它的层次和关系,有三个要领。(1)逐层剖析。首先,总观全句的意思,看整个句子应如何分成两个或几个构成部分,即找出第一层次,用“|”标明,并确定整体上是什么关系。然后在“|”的左边或右边寻找第二层次,用“||”标明,并确定在这个层次上是什么关系。

这样逐层切分，一直切分到单个分句为止。(2)据标判别。根据关联词语来判定每个层次上是什么关系。有时分句间没有用关联词语，可尝试添加典型关联词语来帮助判断。(3)化繁为简。要善于把复杂形式化为简单形式，这样便于确定多重复句的内部层次和每一层次上的关系。比方说，可尝试用“这样”“那样”等代词指代繁复的内容。如一个复句能简化成“尽管那样，但是这样”，便是转折复句；如能简化成“不仅那样，而且这样”，便是递进复句，其余依此类推。例如：

④ 塑料不腐烂分解是一大长处，(因|果)因为当塑料垃圾被深埋时，它永远不会变成任何有毒的化学物质污染人类生存的环境，(递||进)而且即便是被焚烧，(假|||设)大部分塑料也不会释放出有毒的气体。

首先，上例整句的意思可简化为“因为怎么样，所以塑料不腐烂分解是一大长处”，即第一层应切分在第一个分句后，用“|”标记。第二分句句首有“因为”，据此可判定第一层是因果关系。再看“|”右边的部分，可简化为“不仅这样，而且那样”，据此可判定是递进关系，在“而且”前用“||”标记。最后，“||”右边的部分可简化为“即便这样，也那样”，可判定为假设关系，在“大部分”前用“|||”标记。又如：

⑤ 我想喊他等等我，(转||折)却又怕他笑我胆小害怕；(并|列)不叫他，(假||设)我又真怕一个人摸不到那个包扎所，(递|||进)更怕一个人在那儿打吊针。

首先，整个句子要表达喊他会怎么样，不喊会怎么样的并列的意思，所以第一个层次应切在第二个分句后，分号“；”是一个标志。往左看，整体意思是“想喊，却怕他笑话”，第二个层次自然切在“喊”后“却”前，并可判定这一层次是转折关系。往右看，整体意思是“如果不叫他，又会怎么样，更会怎么样”。“又会怎么样，更会怎么样”是以“不叫他”为假设前提。因此第二层应切在“不叫他”之后，是假设关系；第三层在剩余的“又会怎么样，更会怎么样”两个分句之间划分，根据关联词语“更”，可判定是递进关系。

紧缩句

由分句与分句紧缩而成的复句。“紧”是指分句与分句之间没有

语音停顿;“缩”是指缩减了某些成分。例如:

① 他一下班就走了。

② 再折腾也没用。

③ 一不做二不休。

紧缩句,仍有复句内部构成成分(分句)之间的逻辑语义关系,如上面例句,分别表示顺承、假设和并列关系。

紧缩句中有时也出现某些关联词语,形成一些固定格式。例如:

“不……不……”:不说不知道;不到黄河不死心(假设)

“非……不/勿……”:非说不可;非诚勿扰(假设或条件)

“不……也……”:不死也脱层皮;不成也值(假设)

“一……就……”:一喝就醉;一躺下就睡着了(条件或顺承)

“因……而……”:因爱而恨;因获奖而成名(因果)

“……也……”:输了也高兴;闹绯闻也成了名(假设或转折)

“……就……”:说了就忘;用用就知道(顺承或条件)

“……又……”:唱了又唱;想说又不敢说(并列或转折)

此外,还有一些紧缩句采用前后响应的格式,如“有什么吃什么”“见谁打谁”等。

紧缩句有时也不用关联词语,如“瘦身不瘦脑”“春暖花开”等。

四、复句运用中常见的错误

(一) 分句间语义关系不合逻辑

①* 郑龙从裤兜里不慌不忙地掏出手机,嘴里念着号码,便将耳朵凑近,然后迅速地拨了一通,等待对方的应答。

②* 他不但连一句道歉的话也没有,而且丝毫没有悔意,真是太不像话了!

③* 他的讲话虽然不长,但脉络非常清晰。

例①的第三、四个分句之间没有按事情发生的先后顺序来排列,可改为“……然后迅速地拨了一通,便将耳朵凑近……”。例②的前两个分句之间应该是递进关系,但“丝毫没有悔意”不是“连一句道歉的话也没有"进一层的意思，应改为"他不但丝毫没有悔意，而且连一句道歉的话也没有，真是太不像话了"。例③的两个分句之间并不存在转折关系，应改为"他的讲话不长，脉络非常清晰"。

④* 他不但平时刻苦努力，积极参加各种课外的进修学习班，甚至自学了英语。

⑤* 因为他有丰富的知识和经验，能帮助我们少走弯路，使我们的工作效率大大提高。

上面两例是因为缺少了关联词语，导致分句间逻辑语义关系不明确。例④的三个分句间有递进关系，前面用了"不但"，应在后一个分句前加上"而且"，突出进一层的意思。如果不用"而且"，会导致不同理解，即不知道"不但"只管第一个分句还是管到第二个分句；但从逻辑语义上看，第二个分句是说课外的情况，意思上比第一个分句更进一层。例⑤第一个分句用了"因为"，后面没有用"所以"，也会导致不同理解，一种理解是第一个分句表原因，后两个分句表结果；另一种理解是第一、二个分句表原因，第三个分句表结果。可根据具体情况在第二或第三个分句前补出"所以"。

（二）关联词语使用不当

①* 不管心里有一千个不愿意，一万个不甘心，他还是遵守了约定，离开了这个曾经挥洒过无数汗水的地方。

②* 既然你是一个公务员，所以应该遵纪守法，不能搞特殊化。

上面两例是关联词语搭配不当。"不管……还是"表示条件关系，"尽管……还是"表示转折关系。例①应把"不管"换成"尽管"。例②的"既然"跟"所以"不能搭配，可以把"所以"改成"就"，表示推论因果关系；或把"既然"改成"因为"，表示说明因果关系。

③* 改革先要有开拓精神，然后要有丰富的知识。

④* 因为持续发展经济，各地方都有组织、有计划地开放市场，并尽力做好为市场服务的相关工作。

上面两例是错用了关联词语。例③中的"开拓精神"和"丰富的知识"不存在时间先后的问题，而是同时具备的两个方面，例句中的"先……

然后”用错了,应换成“既……又”。例④“持续发展经济”是目的,而不是原因,所以第一个分句的“因为”应改为“为了”。

⑤* 不仅中药能与一般抗菌素比美,而且副作用小,成本也较低。

⑥* 那次座谈会虽然解除了作家的思想压力,作家在精神上逐步得到解放,但是有些人仍难免惊魂未定。

上面两例的关联词语放错了位置。一般来说,如果前后分句的主语相同,关联词语应放在第一分句的主语后;如果前后分句的主语不同,关联词语应放在第一分句主语前。例⑤两个分句的主语都是“中药”(后一分句的主语承前省),因而“不仅”应放在“中药”后。例⑥三个分句的主语各不相同,关联词语“虽然”应放在主语“那次座谈会”之前。

⑦* 由于长期做案头工作,身体虽然发胖了,但四肢无力,行动起来也不灵敏了。

⑧* 他性格内向,不爱讲话,因而学习上死记硬背,各科成绩也都不是很好。

上面两例多用了关联词语。例⑦的“身体发胖”和“四肢无力,行动起来也不灵敏”不存在转折关系,“虽然”“但”应删去。例⑧中的“性格内向,不爱讲话”不是“学习上死记硬背……”的原因,“因而”应删去。

复习与练习(八)

一、复习题

1. 什么是复句? 复句主要有哪些类型?
2. 什么是多重复句? 怎样分析多重复句?
3. 举例说明什么是紧缩句。
4. 复句中常见的错误有哪些?

二、练习题

1. 用线性图示的方法分析下列复句。

(1) 有两只小鸡争着饮水,蹬翻了水碗,往青石板上一跳,满石板印着许多小小的“个”字。

（2）他不但细心听取了我们的意见，而且立刻通知组内成员前来商量，态度甚至比我们还要积极。

（3）我们很多人写文章时没有几句生动活泼、切实有力的话，只有死板板的几条筋，像瘪三一样，瘦得难看，不像一个健康、有活力的人。

（4）我们无论评价什么样的历史人物，都必须全面地看待，不但要看到他们的历史功绩和贡献，而且要看到他们的过失和负面影响，否则，就不可能作出全面、客观的评价。

（5）这座桥分上下两层，上层是公路桥面，可容纳六辆卡车并排通过，下层是铺设双轨的复线铁路，铁道两侧还有人行道。

（6）虽然是满月，天上却有一层淡淡的云，所以不能朗照；但我以为这恰是到了好处——酣眠固不可少，小睡也别有风味。

（7）有的人能力很强，可是他无心干事，不负责任，结果，工作效率很低；有的人尽管工作能力较弱，可是他全力投入，勤奋工作，不断总结经验，结果，工作成绩反倒超过能力很强的人。

（8）每个人都有一条属于自己的路，或者平坦，或者艰险，或者漫长，或者短暂；每个人的爱情经历都是值得回味的，或者甜蜜，或者苦涩，或者如愿，或者遗憾……

（9）我两手空空，既不愿让悲鸿知道，以免他焦急，又不愿开口向人求助。

（10）月儿在云中穿行，船儿在湖中荡漾，风儿拂面而来……

2. **修改下列病句，并说明理由。**

（1）对于我们来说，只有学好外语，才能掌握科学技术，赶上世界先进水平。

（2）我国发明的指南针，不仅促进了世界文明的发展，而且在航海事业中也很有实用价值。

（3）尽管你有多大的本领，也不能改变自然规律。

（4）这本书虽然大致翻一下，也要花相当多的时间。

（5）不管是上大学深造，还是在工作岗位上自学，也有可能提高知识水平。

（6）行行出状元，不管哪一个行业也好，都会涌现出一批拔尖的人才。

(7) 为了学好外语,不管收听外语广播有很大的困难,他们还是坚持听下去。

(8) 尽管出现什么情况,老先生热爱家乡,资助家乡办学的精神,总是值得大家称赞的。

(9) 不论环境恶劣,情况复杂,他们总是能够想方设法把情报及时送出,一次次出色地完成任务。

(10) 可怜的小狗奄奄一息地趴在地上,满身伤痕,慢慢地停止了呼吸,无力呻吟。

(11) 这个作品构思极其大胆,而且一般的人不大容易理解和接受。

(12) 他在业余时间看了许多小说,常常和朋友们一起讨论新出版的文艺作品,因此,成了业余作家。

【课程延伸内容】

一、单句与复句的相互变换

复句的构成成分是分句。分句稍加修改甚至有时直接带上语调后,就可以变换成单句,变换前后句子的意思基本不变。因此根据语用的实际需要,可以将比较复杂的单句变换成复句,从而使句子的表意更加缜密,层次更加清晰。例如:

① 教练细心观察、认真分析比赛现场发生的每一个细节。

② 教练细心观察比赛现场发生的每一个细节,并认真做了分析。

例①是单句,“比赛现场发生的每一个细节”充当“细心观察、认真分析”的共同宾语。例②把谓词性的“认真分析”修改后放在了后面,变成了顺承复句,与此同时,“认真做了分析”在这里得到了强化。

又如:

③ 小胖一字不落地把那首长诗全都背了出来。

④ 小胖把那首长诗全都背了出来，一字不落。

例③是单句，“一字不落”是状语，句子的强调点在“全都背了出来”。例④的“一字不落”变成了解说复句的后一分句，句子的强调点转移到了“一字不落”上。

⑤ 坐在台下的母亲发现，女儿小兰的眼中闪动着泪光。

⑥ 母亲坐在台下，发现女儿小兰的眼中闪动着泪光。

例⑤是单句，逗号后的成分是“发现”的宾语。例⑥把“母亲”放在句首，变成了顺承关系复句。例⑤的视角似乎是在第三者那里，而例⑥的视角显然是在“母亲”这里。

也有把复句变换成单句的。例如：

⑦ 狐狸心里想，我先说些好话哄哄你，让你放松警惕；狐狸心里又想，等你放松警惕后，我再想办法把你嘴里的肉弄到手。

⑧ 狐狸心里想，我先说些好话哄哄你，让你放松警惕，再想办法把你嘴里的肉弄到手。

例⑦是并列复句，由两个分句组成，两个分句的后一部分内容都充当“想”的宾语，显得拖沓。删去“狐狸心里又想，等你放松警惕后”，变换成单句如例⑧，句子就会显得简明、通畅。

以上例句说明，单句与复句之间相互变换的办法多种多样。在保证句子基本意思不变的前提下，根据上下文的意思对单句、复句进行变换，可达到重点突出、行文流畅、可读性强等语用效果。

二、复句和句群

句群又叫句组，是比句子更大的概念，它由一组前后衔接连贯的句子（包括单句或复句）组成，有一个明晰的中心意思。句群和复句既有区别，也有相似之处。

（一）复句和句群的区别

第一，从构成看，复句的组成成分是两个或两个以上的分句，不管分句多少，它都只是一个句子；句群的组成成分是句子，不管长短，它都由两个或两个以上的句子组成。

第二,从书面形式上看,复句只有一个句末标点,而句群不止一个句末标点。试比较:

① 白杨在迎风呼号,那是为老汉在呜咽,还是为这不平在愤怒?

② 朋友们,当你听到这段英雄事迹的时候,你的感想如何呢?你不觉得我们的战士是可爱的吗?你不以我们的祖国有着这样的英雄而自豪吗?

例①是由两个分句构成的选择关系复句,句末用一个问号表示语气和句末停顿。例②是由三个表疑问的句子组成的句群,每个句子都有自己独立的疑问语调,三句在句末都使用了问号。

第三,从关联词语的使用方面看,复句中分句组合的结构比较严密,常常使用或者可以补上成对的关联词语。句群内的句子之间,除表示并列、选择关系可用成对关联词语外,绝大部分只单用一个关联词语,而且一般不出现在句群的第一个句子中。例如:

③ 风遇到防护林,速度就减少了百分之七十到八十。到了距离防护林等于林木高度二十倍的地方,风速又恢复原来的强度。所以防护林必须是并行排列的许多林带,两列之间的距离不要超过林木高度的二十倍。

例③是由三个句子组成的句群,除第三个句子前用了关联词语"所以"以外,第一和第二个句子之间难以添加关联词语。但句子中的分句间则容易添加关联词语,如第一句可在"风"后加"如果",第三句可在"两列"前加"而且"。

(二) 复句和句群的联系

从构成来看,句群由两个或两个以上的句子组成;复句由两个或两个以上的分句组成。也就是说,句群和复句都是组合而成的单位,组成句群的句子和组成复句的分句都各自围绕着一个中心,前后衔接连贯。正因如此,句群和复句有时也可以相互变换。例如:

① 那是力争上游的一种树,笔直的干,笔直的枝。它的干通常是丈把高,像加过人工似的,一丈以内绝无旁枝。它所有的丫枝一律向上,而且紧紧靠拢,也像加过人工似的,成为一束,绝不

> 旁逸斜出。它的宽大的叶子也是片片向上，几乎没有斜生的，更不用说倒垂了。它的皮光滑而有银色的晕圈，微微泛出淡青色。

这个句群由五个句子构成，都是描述白杨树的。如果把第一个句号改为冒号“：”，第二、三、四个句号改为分号“；”，由一个陈述语调统一全句，书面上整段文字的末尾只用一个句号，这样，它就变换成了一个解说关系的多重复句。

反之，有时多重复句也可以变换为句群，如把 115 页练习(8)中“短暂”和“每个人”之间的分号改成句号，它就变成了句群。

> ② 每个人都有一条属于自己的路，或者平坦，或者艰险，或者漫长，或者短暂。每个人的爱情经历都是值得回味的，或者甜蜜，或者苦涩，或者如愿，或者遗憾。

复句和句群之间并不能随意变换。事实上，能够相互变换的，它们各自的组成成分(即分句或句子)不太受上下文语意和结构的限制，独立性都比较强。

附录 复句关系和常用关联词语

<table>
<tr><td rowspan="15">联合复句</td><td rowspan="4">并列</td><td rowspan="2">平列</td><td>合用</td><td>既……又……、既……也……、又……又……、也……也……、一边……一边……、一面……一面……、一方面……另一方面……</td></tr>
<tr><td>单用</td><td>又、也</td></tr>
<tr><td rowspan="2">对照</td><td>合用</td><td>不是……而是……、是……而不是……</td></tr>
<tr><td>单用</td><td>而是、而不是</td></tr>
<tr><td rowspan="2">顺承</td><td colspan="2">合用</td><td>首先……然后……、一……就……</td></tr>
<tr><td colspan="2">单用</td><td>接着/然后、这才、才、便、又、于是</td></tr>
<tr><td>解说</td><td colspan="2">单用</td><td>换句话说、(也)就是说、即</td></tr>
<tr><td rowspan="4">选择</td><td rowspan="2">未定选择</td><td>合用</td><td>或者……或者……、要么……要么……、不是……就是……、是……还是……</td></tr>
<tr><td>单用</td><td>或者、要么、还是</td></tr>
<tr><td rowspan="2">已定选择</td><td>合用</td><td>与其……不如/还不如/倒不如……、宁可/宁/宁愿/宁肯……也不……</td></tr>
<tr><td>单用</td><td>还不如、倒不如</td></tr>
<tr><td rowspan="4">递进</td><td rowspan="2">一般递进</td><td>合用</td><td>不但/不光/不仅……而且/还/更/也……</td></tr>
<tr><td>单用</td><td>而且、更、更加、甚至、并且</td></tr>
<tr><td rowspan="2">衬托递进</td><td>合用</td><td>尚且……何况……、别说……连……</td></tr>
<tr><td>单用</td><td>何况、尚且</td></tr>
</table>

偏正复句	条件	充分条件	合用	只要/只需/一旦……就/便……
			单用	就/便
		必要条件	合用	只有/除非……才……、除非……否则……
			单用	否则、要不然
		无条件	合用	无论/不管/任凭……都/总是/还……
	假设	一致	合用	如果/若/假使……那么/就/便……
			单用	那么/就/便、的话
		相背	合用	即使/哪怕/就算/再……也……
			单用	也
	因果	说明	合用	因为/由于/因……所以/于是/因此/因而/以致/故……、之所以……是因为……
			单用	因为、由于、所以、于是、因此、因而、以致、故
		推论	合用	既然……那么/就/可见……
			单用	可见
	目的	求得	单用	以便、以求、借以、为的是、好让
		求免	单用	以免、免得、省得、以防
	转折	重转	合用	虽然/虽是/虽说/虽则/固然/……但是/可是/然而/却……
		轻转	单用	虽然、但是、可是、然而、却
		弱转	单用	只不过、只是、不过、倒

第六章　修辞

第一节　修辞概说

修辞是在具体的语境中，恰当地运用语言材料，选择合适的表达方式，以获得理想表达效果的一种言语活动。如文学作品中，“月光明亮”是一种普通的表达方式；如果想让表达形象化，可以说成“月明如水”，如果想让表达具有诗意，不妨说成“月明如水浸楼台”，这是一种修辞。但在介绍“月光”的说明文中，“月光明亮”这种客观朴素的表达方式反而更合适，这种选择也是一种修辞。

修辞存在于人们的言语交际活动中。人们使用语言传情达意时，首先会考虑选择什么样的词语、什么样的句子、什么样的表达方式才合适，这是修辞；选择完之后，他可能会根据实际表达需要，再作出调整、修饰，这也是修辞；他表意时，需要借助各种衔接手段保持上下文语义的连贯性，这还是修辞；面对不同的交际对象、不同的交际场所、不同的交际领域、不同的交际目的、不同的交际内容、不同的交际媒介等，人们需要调整自己的语言表达方式，这还是修辞。因此，只要是人们有意识、有目的地运用语言交际，就是在自觉或不自觉地运用修辞手段了。如下面一则消息：

> 国务院今天发布通告，我国的人口普查从×年×月×日开始。这是我国迄今为止规模最大的一次人口普查……

这则消息如果刊登在报纸上供人们阅读，其语意表达准确、简洁、明了。但如果在电视上通过主持人讲出，这样的表述则会显得生硬呆板，观众听起来会认为与自己关联不大，可能就不会关注。中央电视台的主持人在播出时作了如下的修改：

> 观众朋友，从×月×日×点开始，可能就会有人敲您的门。

他们就是人口普查员。从这时起，您就参与了我国迄今为止规模最大的一次人口普查。

主持人把书面语改为口头语，用第二人称代词“您”称呼观众，拉近了与观众的距离，给观众的感觉是在说“自己”的事，自然就会关注了。主持人的修改取得了理想的表达效果。这是适应不同的交际对象和不同的交际方式进行的修辞。

修辞的目的就是取得理想的表达效果。所谓理想的表达效果就是在具体的语境中，表达者准确完整地传递出自己的意图，接受者也准确完整地接收并理解了表达者的意图。修辞过程中，语言材料和表达方式的选择，应该做到准确、恰当、得体，这是取得理想表达效果的关键。

语言运用得好不好，恰当不恰当，其实是对具体语境而言的。脱离了具体语境，修辞效果就无从谈起。

语境可分为语言语境和非语言语境，两种不同的语境在不同的层面上制约着语言的使用。语言语境也称上下文语境，是指词语、句子、句群等出现时所有上下文构成的语境。语言语境是语言运用的直接影响因素，它决定着语言表达方式的选择。

非语言语境指的是除上下文之外的其他影响语言表达的因素，包括交际双方、交际方式、时空环境和社会文化环境等。

非语言语境对语言运用的影响是深层次的，如在汉文化语境中，晚辈不能直呼长辈姓名。俗话“到什么山上唱什么歌”“见什么人说什么话”，说的就是交际对象、空间环境、地域文化这些非语言语境对语言运用的影响。

复习与练习(一)

复习题

1. 什么是修辞？修辞的目的是什么？

2. 取得理想表达效果的关键是什么？

3. 什么是语言语境？什么是非语言语境？它们跟修辞的关系是怎样的？

第二节 语音修辞

汉语是富于音乐美的语言。汉语的音节结构中元音占优势,元音具有清晰响亮、悦耳动听的特点;双音节词的大量发展,易于构成整齐的语言形式;音节声调的高低起伏、平仄交错的配合,使汉语富有抑扬顿挫的节奏感;再加上汉语中许多双声、叠韵、叠音等词语的存在,为语言形式的选择提供了有利条件。这些语音形式的反复再现、巧妙配合,使表达更富艺术感染力。

语音修辞主要包括韵脚、声调、音节的调配以及双声、叠韵、叠音等形式的利用。

一、韵脚的配置与回环美

(一) 押韵、韵脚及其作用

把两个以上韵母相同或相近的音节有规律地放在诗词歌赋等韵文语句的同一位置上,前后呼应配合,使声音和谐悦耳,这种现象叫作押韵。由于押韵的位置大都在句末,因此,一般把押韵的音节叫"韵脚"。押韵具有声韵和谐、节奏悦耳、回环复沓、易于传诵的修辞效果。押韵不仅是韵文体常用的语音修辞手段,也是散言体如散文、小说、杂文、戏剧等常用的语音修辞手段,更是民间各种文艺形式,如民谣、快板等常用的语音修辞手段。

(二) 押韵的运用

押韵是汉语诗歌的一个基本要求,五四运动以后虽然出现了一些不押韵的新诗体,但不是主流。

韵脚在诗歌里,对于思想、感情和意境的表现有重大的作用,它是加强节奏的一种有效手段。韵脚通过前后押韵音节的呼应,不仅具有联系各诗行、突出意义内容的作用,而且还能够使诗句增加音乐美感。例如:

① 如果你一定要走
我又怎能把你挽留

即使把你留住
你的心　也在远方浮游

如果你注定一去不回头
我为什么还要独自烦忧
即便终日以泪洗面
也洗不尽　心头的清愁

要走　你就潇洒地走
人生本来有春也有秋
不回头　你也无需再反顾
失去了你　我也并非一无所有

（汪国真《如果》）

例①押"ou"韵，字音响亮，朗朗上口，富有音乐性，渲染出一种浓厚的离别气氛，扣动人们的心弦，从而引起人们的共鸣。没有韵脚，诗的思想、感情和意境难免显得松散、零乱。比较长的诗里，如果没有韵脚，容易引起读者的疲劳感，心理上的预期缺少一个落脚处。

押韵有时也用在散文中，对于增强感染力，提高表达效果同样具有积极作用。例如：

② 真好！朋友送我一对珍珠鸟，放在一个简易的竹条编成的笼子里，笼内还有一卷干草，那是小鸟舒适又温暖的巢。

（冯骥才《珍珠鸟》）

例②中"好""鸟""草""巢"都押"ao"韵，取得了很好的声响效果，突出了作者的喜悦心情。

除了诗歌和某些散文以外，其他韵文体裁，如歌曲、顺口溜、谚语、快板、童谣、戏剧唱词等，都很讲究韵脚的和谐。如歌曲：

③ 我和我的祖国，一刻也不能分割！无论我走到哪里，都流出一首赞歌，我歌唱每一座高山，我歌唱每一条河。袅袅炊烟，小小村落，路上一道辙。我最亲爱的祖国，我永远紧依着你的心

窝,你用你那母亲的脉搏,和我诉说。

(张藜《我和我的祖国》)

童谣:

④ 公园里,花儿开,
红的红,白的白,
花儿好看我不摘,
大家夸我好乖乖。

(叶欣原《儿歌大全》)

谚语:

⑤ 上有天堂,下有苏杭。
⑥ 台上三分钟,台下十年功。
⑦ 一寸光阴一寸金,寸金难买寸光阴。

押韵在广告语中也用得非常普遍,如“钻石恒久远,一颗永流传”“小草微微笑,请你旁边绕”“说好普通话,方便你我他”等。

二、声调的配搭与抑扬美

声调的配搭是指连续的音节之间声调要有高低抑扬的变化。主要表现在音高的平、升、曲、降上。古代汉语的声调分为平、上、去、入四声,简分为平仄二声,平属平声,上、去、入属仄声。现代汉语的声调分为阴平、阳平、上声、去声四种,阴平、阳平合称平声,上声、去声合称仄声。一般来说,平声声音高昂、悠长,仄声声音曲折、低抑、短促。在连续的音节中,如果能够做到声调协调,平仄相间,就会产生抑扬顿挫、高低起伏的声音效果,从而构成错落有致、节奏鲜明的韵律,大大增强语音的音乐性。相反,在连续的音节中,如果不讲究平仄相间,而是将一长串平声音节或仄声音节排在一起,不但读起来费劲,听起来也显得单调、沉闷,缺少音乐美感,如“张芳她妈妈家周三中餐吃烧鸭”“上月爸爸特意让弟弟做这四道算术作业”。前一例全是平声,后一例全是仄声,读的时候不上口,听觉上也不协调、不自然。

在古代诗词格律中,平仄是一个重要因素。格律诗对平仄的要求很严格，平仄安排的情况可以概括为：同句中相互交替，对句中彼此对立。这也就是说，在同一个句子中平声字和仄声字间隔出现；在上下句之间相对应的音节平仄对立。这两大类声调在诗词中有规律地交替使用，形成诗词音调抑扬起伏、悦耳动听的音乐美。例如杜甫《春望》：

① 国破山河在，［仄仄平平仄］
城春草木深。［平平仄仄平］

例①中，同一句子的平声字和仄声字相互交替出现，在对仗句中是相互对立的，这种声调平仄的变化，听起来抑扬顿挫，跌宕起伏。

在现代诗文中，对平仄的要求虽然不像古代格律诗那么严格，但在选词用字时，若能照顾平仄的交替和对应，也能获得诗文节奏抑扬有致的美感。例如：

② 云中的神啊，雾中的仙，
神姿仙态桂林的山！
情一样深啊，梦一样美，
如情似梦漓江的水！

（贺敬之《桂林山水歌》）

例②前两行句末的“仙”和“山”是平声，后两行句末的“美”和“水”是仄声。“神姿仙态桂林的山”和“如情似梦漓江的水”两句如果不计衬字“的”，它们的声调组合分别是“平平平仄仄平平”和“平平仄仄平平仄”。这样就使得语句声调平仄相间或相对，抑扬起落，声律优美，声音与情感内容达到了和谐统一。

对偶句式一般都要求平仄对应，抑扬交错，讲究声调和谐，这样有助于突出内容，帮助人们记忆。例如：

③ 风高秋月白，雨霁晚霞红。

（李渔《笠翁对韵》）

④ 阳台观鸢尾　庭院赏米兰

（新闻标题）

⑤ 立健全完备之规　造长治久安之势

（新闻标题）

这些对偶的例子,各音节平仄声调几乎完全对应。

散文不像韵文那样讲究平仄调配,声调和谐,但在一些并排的、整齐的句式中,如果注意平仄协调,也能够增强文章的感染力。例如:

⑥ 想眺望故乡的山冈,我爬到了阿里山上,只见茫茫云海,云海茫茫。想寻觅故乡的小溪,我沿着淡水河来到海滨,只隔着汪洋一片,一片汪洋。呵,阿里山!我要用你去填大海,让母亲见到孩子,让孩子找到亲娘!

(《人民日报》)

例⑥中,平仄总体说来是交替的,读起来抑扬起伏,悦耳动听,兼顾到了平仄相宜,声情并茂。

三、音节的配合与整齐美

汉语书面语很注重音节的调配,不仅在诗词等韵文中讲究音节的配合,就是在一般的散文中也常常要考虑到音节的调配。口语表达对音节调配的要求虽不像书面语那样严格,但音节配合得恰当对于形成听觉上的语音美感是一个重要的因素。

人们在运用语言时,除部分使用单音节词外,还大量使用双音节或多音节的词,各种音节的组合要受语言节奏的制约,而语言中的节奏是通过音节的配合来实现的。音节配合的一般原则是,在连续的语流中处于相同句法成分的词或短语的音节要相配,也就是相应位置上词语的音节数应该力求一致。如“眉清目秀”是由两个主谓结构联合而成的,“眉清”和“目秀”两两相配,这样相配的声音显得平稳协调、匀称整齐。“他每天下午看看报,打打球”中的“看看报,打打球”也是平稳、匀称的。“看看”和“打打”相配,“报”和“球”相配,说起来很顺口,如改为“他每天下午看看报,打球”就不顺口。这种音节的调配随处可见。例如:

① 肖邦的钢琴协奏曲如春潮,如月华,如鲜花灿烂,如水银泻地。听了他的作品我会觉得自己更年轻,更聪明,更自信。

(王蒙《在音乐的世界里》)

这里,“如春潮”与“如月华”相配,“如鲜花灿烂”与“如水银泻地”相配。“更年轻”“更聪明”“更自信”三项相配,相配项的音节都相同。由于配合整齐,语言表达显得十分和谐。如果将“如月华”和“如鲜花灿烂”调换一下位置,或者将“更自信”改为“更相信自己”,就会导致对应位置音节不整齐,破坏整体的协调性。

汉语中“四字格”式的音节组合使用频率很高,它反映了汉民族崇尚对称和谐的心理,言简意赅,平朴庄重,具有极强的表现力。成语几乎都是四字格。成语以外的其他语言形式中四字格也比比皆是,从诗文、谚语到报纸标题、广告语等,都有大量的四字格出现。例如:

② 面朝大海,春暖花开。

(诗句)

③ 男大当婚,女大当嫁。

(谚语)

④ 百尺竿头,更进一步。

(谚语)

⑤ 大风降温　雨雪飞扬

(新闻标题)

⑥ 精益眼镜,贵在求精,精益求精,精无止境。

(某眼镜广告)

上面的例子中,每一句都是四个字,音节匀称,节奏感强,易记易传。

现代诗歌一般也要讲究音节的匀称与协调。例如:

⑦ 后来啊
乡愁是一方矮矮的坟墓
我在外头
母亲在里头

而现在
乡愁是一湾浅浅的海峡
我在这头
大陆在那头

(余光中《乡愁》)

上面节选的这首诗前后段音节整齐一致,富有音乐美。

其他文体如果也能注意音节的调配,不但有助于语意的表达,而且能使语音更加优美动听。例如:

⑧ 亚运带来的,不仅是看得见的变化——场馆建设、旧城改造、交通整治、大力治水、环境卫生治理等工程让广州天更蓝、水更清、路更宽、房更靓、城更美,也有看不见的变化——对城市发展的推动、对城市品牌的锻造、对公共文明的洗礼、对市民素质的培育等等。

(《广州日报》)

⑨ 我们要创造更加良好的政治环境和更加自由的学术氛围,让人民追求真理、崇尚理性、尊重科学,探索自然的奥秘、社会的法则和人生的真谛。做学问、搞科研,尤其需要倡导"独立之精神,自由之思想"。正因为有了充分的学术自由,像牛顿这样在人类历史上具有伟大影响的科学家,才能够思潮奔腾、才华迸发,敢于思考前人从未思考过的问题,敢于踏进前人从未涉足的领域。

(人民网)

这两段中许多语句音节数对应,如三音节对三音节,四音节对四音节等,调配整齐,整体上节奏鲜明、行文流畅。

总之,音节调配所要达到的效果是音节协调,使人说起来顺口,听起来悦耳。此外,在调配音节时,如果能考虑与平仄、押韵等方面的配合,做到几方面兼顾,不但有助于语意的表达,而且能使语音更加优美动听,收到更好的效果。

四、双声、叠韵、叠音、拟声的选用与复沓美

(一) 双声、叠韵

双声、叠韵也是汉民族对称和谐心理在汉语语音方面的表现。双声如"仿佛、惆怅、辗转、伶俐、仓促、慷慨、踌躇、吩咐"等,两个音节的声母相同。叠韵如"朦胧、徘徊、彷徨、蓓蕾、怂恿、肮脏、妖娆、苗条"等,两个音节韵母相同或相近。这些词语凭借相同的语音成分的再

现，作用于人的听觉器官，给人以回环复沓之感。双声犹如贯珠相连，宛转动听；叠韵犹如两玉相叩，铿锵悦耳。

由于具有独特的声响表现力，双声、叠韵成为汉语修辞的重要手段。例如：

① 她彷徨在这寂寥的雨巷
撑着油纸伞
像我一样
像我一样地
默默彳亍着
冷漠、凄清，又惆怅

（戴望舒《雨巷》）

这段诗中，用了“彳亍”“凄清”“惆怅”三个双声词，叠韵词“彷徨”。这些词语的运用既能让人感到它低沉、舒缓、优美的旋律和节奏，又能表现诗人的孤寂和苦闷心情。又如：

② 只见那些假山石，高低起伏，玲珑剔透，气象万千。再细细看一看，那些假山，全像狮子。……当你走向那些“狮子”，踏上假山，或钻一钻山洞，那山上山下，洞里洞外，盘旋曲折，变化无穷，有千山万壑之感。

（凤章《苏州园林》）

在这段散文中，“玲珑”“剔透”为双声词，“盘旋”为叠韵词，包括“气象万千”“千山万壑”里的“万千、千山”也有叠韵的声响效果，这几个双声叠韵的声音回环复沓，仿如苏州园林景观的曲折往复，语意内容与语音形式相得益彰。

（二）叠音

这里的叠音是指音节的重叠。叠音也是汉语语音修辞的重要手段，常常用于对自然景物、人物特征、动作情态以及环境气氛等方面的描绘。恰当地运用叠音，可使语言的形式和声音的节奏更加整齐、和谐，既能和外物的特征情态相一致，也能和言者的心情相合拍。例如：

男：哥哥面前一条弯弯的河

妹妹对面唱着一支甜甜的歌
哥哥心中燃起红红的火
妹妹快快让我渡过你呀的河
女:小船悠悠水面过
划开河面层层波层层波
采一朵水莲花妹妹送哥哥
悄悄话儿悄悄说甜甜蜜蜜撒满河

(崔凯《过河》)

这首民歌当中运用了“弯弯”“甜甜”“红红”“快快”“悠悠”“层层”“悄悄”“甜甜蜜蜜”等叠音,借音节的繁复描绘出一幅河水弯弯、小船悠悠,一对情意绵绵的情侣在对歌的动人景象。

现代散文和广告语中,运用叠音的现象也俯拾皆是,如“浓浓花生奶,深深大地情”“柔柔的风,甜甜的梦”“舒舒服服入睡,清清爽爽醒来”,等等。这些叠音的运用,除具有突出语意的作用外,还大大增强了语言的形式美、音乐美和感染力。

(三)拟声

拟声是利用语音来摹拟客观存在的各种声音,又叫摹声或象声,如“嘭、嗖、哇”“叮当、呼啦”“叮叮当、哗啦啦、淅沥沥”“嘟嘟、扑通扑通、锵不隆咚锵”等。

拟声的作用,一是使表达绘声绘色,让听者和读者感受到事物的生动性和形象性。例如:

① “轰隆隆、轰隆隆……”列车从隧道里钻出来,轻快地奔驰着。

(曾果伟《告别》)

② 果果跑上前,拿出早已准备好的辣椒、芹菜、小飞虫等,挨个儿给笼子里的昆虫喂食,很快,蟋蟀“嚯嚯嚯”地唱起来;桃树虫用小小的脚卖力地踢着自己的肚子,开始“啪啪啪”地打鼓……

(赵菱《三月里的桃花园》)

例①用“轰隆隆、轰隆隆……”描摹火车行驶时发出的声音,例②用“嚯嚯嚯”“啪啪啪”描摹虫子的叫声。这些拟声形象逼真，它们能唤起人们的听觉想象，让人觉得仿佛置身于当时的情境中，收到了声情并茂的效果。

拟声的另一个作用是可以增强语音形式美。由于不少拟声是通过双声、叠韵或叠音实现的，如“噼啪噼啪”“滴答滴答”“咣当咣当”“丁零丁零”“轰隆隆”“哗哗哗”“沙沙沙”等，因此，如果能恰当地运用这些拟声，就能使听者和读者在如闻其声、如临其境的同时，得到音律、节奏等方面的审美享受。例如：

③ 哗哗作响……哗哗作响
风吹着平原上杨树的叶片
这是哪一年，哪一个季节
我翻遍了所有的记忆，仍然恍惚

三十年之后，我深入了城市喧嚣的广场
可是，除了这哗哗作响
我什么也没有听到
我省略了经历的沧桑

（王克金《哗哗作响……》）

这首诗中叠音的“哗哗”不但增强了形象感，而且也为诗句的表达增添了韵律形式美。

五、谐音的运用与谐趣

在特定的语言环境中，利用词语的音同或音近的谐音关系，由一个词语联想到另外一个词语，这也是汉语语音修辞的一种方式。例如：

① 闲人免进贤人进
盗者莫来道者来

（大孤山青云观楹联）

这副对联中，“闲”与“贤”、“盗”与“道”构成谐音，它们读音相同，意义却大相径庭，趣味横生。

② 月亮出来亮堂堂,芹菜韭菜栽两行;
郎吃芹菜勤思姐,姐吃韭菜久思郎。

(《民间情歌三百首》)

这首民歌利用了“芹”和“勤”、“韭”和“久”的谐音,不但具有复沓回环之美,而且具有浓厚的情趣。

近年来,新闻标题利用谐音的现象越来越多。例如:

③ 有一种腐败叫“公贺新禧”

(金羊网)

④ 潜规则都是“钱”规则

(半岛网)

⑤ 精装修为何成了“惊装修”

(《法治日报》)

例③利用“公贺”与“恭贺”的谐音,揭示出某些部门某些人用公款送礼的现象;例④利用“潜”与“钱”的谐音,指出某些领域乱收费的现象;例⑤利用“精装修”与“惊装修”的谐音,反映某些房地产公司对外宣传的是精美装修,实际却是偷工减料、粗制滥造、让人吃惊的劣质装修,形成强烈反差。

谐音是汉民族文化的一个重要特点,如有些地方的婚俗,要在被子上撒放红枣、花生、桂圆、栗子等,以图“早生贵子”;有的地方逢年过节送鲢鱼,谐音“连年有余”。又如广州人把“空屋、空车”叫作“吉屋、吉车”,因为广州话“空”与“凶”谐音。这些谐音充分体现了汉民族的求吉避凶,重委婉、忌直言的文化心理。除此之外,还有其他一些日常交际和生活中常用的谐音词语,这些谐音词语已经形成固定用法,通常是一些熟语,如“气管炎——妻管严”“外甥打灯笼——照舅(旧)”“小葱拌豆腐——一青(清)二白”。

六、语音的反常规使用与拗趣

一般来说,人们说话、写文章总是力求音节匀称、声韵和谐,但有的时候,出于某种需要,人们也会反其道而用之,追求语音的极不和谐,有意把声、韵、调极易混同的字交叉重叠,反复出现在一个句子里,读起来拗口,听起来难以接受。这种语言形式主要出现在绕口令中。绕口令的特点是用声、韵、调极易混同的字交叉重叠编成句子,要求一口气快速念完,而说快了读音又很容易发生错误。不经训练,一般人很难将绕口令快速、准确地读出。也正因如此,绕口令既可以被用作语言读物帮助人们练习正确地咬字吐音,又可以作为一种语言游戏供人娱乐。例如:

① 华华爱画花,提笔画荷花,荷花开得大,荷花像活花。

（《儿歌三百首》）

② 宝宝吹泡泡,泡泡跑了,宝宝追泡泡,泡泡爆了抱宝宝。

（朱宝庆《唱儿歌》）

③ 童董两家,同种冬瓜。童家知道门东董家冬瓜大,来到董家学种冬瓜。门东董家懂种冬瓜,来教东门童家学种冬瓜。童董两家都懂得种冬瓜,童董两家的冬瓜比桶大。

（儿童绕口令《种冬瓜》）

这三例意在训练儿童的正确发音。而在一些文艺娱乐场合,绕口令也常用于表演,如"长扁担,短扁担,长扁担比短扁担长了半扁担,短扁担比长扁担短了半扁担"。相声艺术中更是经常要用到这种绕口令,如"吃葡萄不吐葡萄皮"就是相声里一句典型的绕口令。这些绕口令读起来别扭、拗口,但趣在其中,值得玩味。这种语音的反常规利用,也是一种修辞。

复习与练习(二)

一、复习题

1. 什么是押韵?什么是韵脚?
2. 什么是平仄?平仄的调配能产生什么样的修辞效果?
3. 音节的配合能产生什么样的修辞效果?
4. 举例说明双声、叠韵、叠音、拟声各有什么样的修辞效果。
5. 举例说明谐音的修辞作用。

二、练习题

1. 指出下面各段的韵脚。

(1) 春眠不觉晓,处处闻啼鸟。夜来风雨声,花落知多少。

(2) 因为有风,柳条得以轻扬;因为有雨,禾苗得以滋长;因为有花,自然才显芬芳;因为有你,生活才有了阳光。

(3)花妩媚,是因为蝴蝶的追随;梦沉醉,是因为月色的点缀;情珍贵,是因为彼此的安慰;人幸福,是因为有爱的伴随。

2. 指出下面这首诗的平仄搭配情况。

白日依山尽,黄河入海流。

欲穷千里目,更上一层楼。

3. 综合分析下面两段中的语音修辞特点。

(1) 年年岁岁花相似,岁岁年年人不同。

(2) 天苍苍,野茫茫,风吹草低见牛羊。

4. 列举两段绕口令,并分析它们在语音上的配合特点。

5. 请从近期的网络或报纸上找出10例具有语音美的新闻标题,并加以分析。

【课程延伸内容】

押韵的方式和依据

根据韵脚出现的不同规律,押韵有以下几种常见的方式:

1. 偶韵。即偶句押韵,隔句相押。这是一种最常见的押韵,旋律婉转,节奏适中,在各种韵文中广泛使用。

2. 排韵。即句句押韵,一韵到底。这种押韵旋律流畅,节奏紧凑,在儿歌、快板等韵文中常用。

3. 随韵。即两句两句相押,每两句换一个韵。旋律活泼跳荡,节奏明快,在长篇诗歌中较多见。

4. 交韵。在四句一组的诗歌中,第一、三句押一韵,第二、四句押另一韵,即两两交叉押韵。

5. 抱韵。在四句一组的诗歌中，第一、四句押一韵，第二、三句押另一韵，也就是中间的两句被其上下的两句所包围。

6. 散韵。即不规则的押韵，韵脚的出现不遵循一定的规律，各韵脚之间间隔的句数各不相同。这种押韵方式旋律松散，节奏缓慢，多见于现代长篇自由诗中，韵随情移，情由韵收。

古人作诗，大都要根据韵书选韵，如《切韵》《广韵》等。南宋平水人刘渊根据《广韵》增修的《壬子新刊礼部韵略》（简称“平水韵”）一直是近代乃至现代诗人作仿古诗的押韵依据。

清代《佩文诗韵》列举了 106 个韵目，按平、上、去、入四声分部。押韵的原则是平只押平，入只押入，上、去可以互押。现代的新诗押韵，打破了旧原则，变得更为自由了，不再受平仄声调的限制，凡是韵母相同或相近的音节都可以互押。押韵可依据 1941 年教育部国语推行委员会公布的《中华新韵》中的“十八韵”和明清以来北方说唱文学用以押韵的韵部“十三辙”，自由选韵。“十八韵”把韵文押韵的范围归纳为十八类，每类用一个同韵字为名。这十八个韵的排列和名称如下：

一	麻	包括韵母 a、ia、ua
二	波	包括韵母 o、uo
三	歌	包括韵母 e
四	皆	包括韵母 ê、ie、üe
五	支	包括韵母-i（[ʅ]）、-i（[ɿ]）
六	儿	包括韵母 er
七	齐	包括韵母 i
八	微	包括韵母 ei、uei
九	开	包括韵母 ai、uai
十	姑	包括韵母 u
十一	鱼	包括韵母 ü
十二	侯	包括韵母 ou、iou
十三	豪	包括韵母 ao、iao
十四	寒	包括韵母 an、ian、uan、üan

十五　痕　　包括韵母 en、in、uen、ün

十六　唐　　包括韵母 ang、iang、uang

十七　庚　　包括韵母 eng、ing、ueng

十八　东　　包括韵母 ong、iong

“十三辙”的“辙”是“韵”的通俗称呼,“合辙”就是押韵的意思。辙名用两个同韵字为名,共有十三个辙名,它们的名称是:“发花辙”“梭波辙”“乜斜辙”“一七辙”“姑苏辙”“怀来辙”“灰堆辙”“遥条辙”“油求辙”“言前辙”“人辰辙”“江阳辙”“中东辙”。此外,押儿化韵字时还有两道小辙儿,叫“小言前儿”和“小人辰儿”。总体来看,十三辙与十八韵具有对应的关系,只是十三辙比十八韵押韵更宽泛些,它把十八韵中的二、三韵并成“梭波辙”,把五、六、七、十一韵并成“一七辙”,把十七、十八韵并成“中东辙”。其余的“韵”和“辙”呈整齐的对应关系:“麻”对应“发花”,“皆”对应“乜斜”,“姑”对应“姑苏”,“开”对应“怀来”,“微”对应“灰堆”,“豪”对应“遥条”,“侯”对应“油求”,“寒”对应“言前”,“痕”对应“人辰”,“唐”对应“江阳”。由于这些韵部跟汉语普通话的韵母是一致的,因而它们也成为当今作诗、写文章用韵的依据。

思考与讨论

试谈现代诗文与古代诗文在利用语音修辞方面有何异同。

第三节　词语修辞

运用词语是否恰当,直接影响到修辞效果的好坏。一些好的修辞现象就是对词语进行精心选择或变化使用的结果。词语的选用和变用在词语修辞中占有重要的位置。

一、词语的选用

词语的选用是通过对词语的斟酌和推敲,从众多的词语中选出一个最恰当的词语。对词语的选用通常包括以下几方面。

（一）词语色彩的选用

1. 感情色彩的选用

词语的感情色彩是人们对词语所反映事物的一种主观评价。有些词语表明人们对所反映事物的肯定、赞扬、喜爱、尊重等感情态度，如“成果”“温柔”“荣获”等，是褒义词；有些词语表明人们对所反映事物的否定、贬斥、厌恶、鄙视等感情态度，如“歹徒”“残酷”“诈骗”等，是贬义词；有些词语本身不带有褒贬色彩，如“汽车”“粗壮”“学习”等，是中性词。我们在运用这些词语时要注意感情色彩的选择。例如：

① 今天是王先生和赵小姐结婚的日子。看，彩堂上红灯高照，柔柔的灯光辉映着喜庆的彩花——这彩花，铺满了新婚红地毯，让新郎新娘开始了幸福的“马拉松”赛跑；听，彩堂外鞭炮齐鸣，阵阵的脆响爆发出祝福的心声——这声音，伴奏着新婚圆舞曲，让新郎新娘的人生二人转开始上演。在这隆重而热烈的盛典上，让我们尽情分享新人的幸福和甜蜜，全心感受婚庆的温馨和浪漫吧。

（卢伟宏《让婚礼致辞充满情趣》）

这是一段婚礼上的演讲词，用了“柔柔”“辉映”“幸福”“隆重”“热烈”“尽情”“分享”“甜蜜”“温馨”“浪漫”等感情色彩浓厚的褒义词语，既表现出喜庆的氛围，热闹的场面，又表现出对新人的美好祝福，感情强烈。又如：

② 韦×以为他这次毒杀李×一定会成功。可是正当他暗中高兴与方×商量如何盛装结婚时，突然传来李没有死亡的消息，使他惊惶失色，终日惶惶不安，唯恐罪行败露。……韦既担心方×变心，又恐李日久觉察他们的杀人阴谋，为了既能宽方×之心，与之早日结为夫妻，又能除掉李×，不致罪恶暴露，就迫不及待地孤注一掷，决心用暴力手段杀死李×。

（孙懿华、周广然《法律语言学》）

例②是个公诉词片段，运用“惊惶失色”“终日惶惶不安”“孤注一掷”

等感情色彩鲜明的贬义词语,恰到好处地表现出被告人手段之残忍,犯罪后果之严重。公诉人通过这些词语创造了一种令人愤慨的氛围。这种氛围是富有感染力的,它能激起法官、听众对被告的愤怒和谴责。

实际语言运用中,应根据需要,认真地区分和选择感情色彩鲜明的词语,把自己的思想感情准确地、恰当地表达出来。如果不注意区分和选择,就容易出现褒贬不当的问题。如有人将持枪拒捕的歹徒写成"顽强抵抗",把抓歹徒牺牲的警察写成"被歹徒当场击毙",这样就颠倒了应褒扬和被贬斥的对象。

2. 语体色彩的选用

语体色彩是指某些词语因经常用于特定交际场合或特定语体中而形成了某种独特的语言表现风格。如"哥们儿""帅气""溜达"等经常出现在口头语体中,因而具有口语色彩;"予以""斟酌""邂逅"等经常出现在书面语体中,因而具有书面语色彩。在具有书面语色彩的词语中,"澎湃""涟漪""惆怅"等经常用于文学作品中,具有文艺语体的色彩;"请示""审批""遵照"等经常用于各类公文中,具有公文语体的色彩;"函数""原子""坐标"等经常用于科技文献中,具有科技语体的色彩。而"花""房屋""天气""超市""紧张"等词语在各种语体中通用,不带特定的语体色彩。

一般说来,具有某种语体色彩的词语同该语体有着稳定的适应关系,因此,我们运用这些词语时就要充分考虑它们所适应的语体类型,以取得和谐统一的修辞效果。例如:

③ 对运菜车辆,不得随意拦车检查,更不准随意罚款。发现轻微交通违章的,应依法纠正后放行;对严重违章的,责令其立即纠正,并可给予罚款处罚,记下车号和驾驶员姓名、单位,通知车辆所在地公安交通部门处理,不准扣车、扣证。对违章超载的,应责令自行纠正并给予罚款处罚,但对违章人的同一违章行为,不得给予两次(含两次)以上罚款。

(交通部、公安部、国务院纠正行业不正之风办公室《关于保障海南省蔬菜运输绿色通道畅通的通知》)

例③对有关部门如何处理绿色通道的违章问题作出了规定，可以怎样做，应该怎样做和不准怎样做都规定得很清楚，属于公文语体，因此大量使用具有公文语体色彩的词语。如“不得”“不准”“责令”“给予”“依法纠正”“处罚”等，这些词语显得庄重严肃，能表现出命令内容重大而带有强制性，具有不容置疑的结论性。又如：

> ④ 立春过后，大地渐渐从沉睡中苏醒过来。冰雪融化，草木萌发，各种花次第开放。再过两个月，燕子翩然归来。不久，布谷鸟也来了。于是转入炎热的夏季，这是植物孕育果实的时期。到了秋天，果实成熟，植物的叶子渐渐变黄，在秋风中簌簌地落下来。北雁南飞，活跃在田间草际的昆虫也都销声匿迹。到处呈现一片衰草连天的景象，准备迎接风雪载途的寒冬。在地球上温带和亚热带区域里，年年如是，周而复始。
>
> （竺可桢《大自然的语言》）

例④是科普文章中的一段文字，以文艺语体的笔法来写，用了许多带书面语色彩的词语，如“苏醒”“萌发”“次第”“翩然归来”“孕育”“田间草际”“销声匿迹”“风雪载途”“年年如是”“周而复始”等。这些词语的使用，使语言表达显得庄重而典雅，与所用的语体相适应、相协调。

我们说话或写文章时，要根据语体类型来选择恰当的词语，也就是人们通常说的用语要得体。如果所用词语跟语体不相适应，轻则闹笑话，重则导致交际的失败。如“氧化氢”和“水”同指一个事物，“氧化氢”是个化学术语，用于科技语体，“水”是一般词语，人们生活中常用。如果将“我要喝水”说成“我要喝氧化氢”，会让人感到莫名其妙。又如“养活”和“赡养”，前者是口语词，后者是书面语词。如果将公文语体中的“赡养父母是子女的义务”说成“养活父母是子女的义务”就不得体，让人难以接受。

3. 形象色彩的选用

词语的形象色彩是指某些词语在人们的脑子里唤起一种感性的、具体的、形象的联想。如视觉形象词语“桃红”“马尾辫”“白花花”“羊肠小道”等；听觉形象词语“潺潺”“叮当叮当”“哗啦哗啦”“扑哧扑哧”等；味觉形象词语“甜丝丝”“酸溜溜”“咸不拉叽”等；嗅觉形象词语“香喷喷”“臭烘烘”等;触觉形象词语“刺骨”“冰冷”“滑溜溜”“硬邦邦”等。此外,还有大量形象生动、具体鲜明、富有描绘色彩的文艺性词语。

在对人或事物作形象描绘时,就要讲究词语的形象色彩的选用,这样能够引发人的联想,给人留下栩栩如生的印象。例如:

⑤ 看近处,那些落光了叶子的树木上,挂满了毛茸茸亮晶晶的银条儿,那些冬夏常青的松树和柏树上,挂满了蓬松松沉甸甸的雪球儿。

(峻青《瑞雪图》)

例⑤由于使用了“毛茸茸”“亮晶晶”“蓬松松”“沉甸甸”这些具体可感的词语,渲染出一幅如临其境的瑞雪图。

(二) 义类的选用

1. 多义词的选用

多义词在具体的上下文里通常只表达一种确定的意义。有时,在特定的语境里,多义词也可以用来构成某种修辞方式,以表达深刻、精辟的含义,取得妙趣横生的效果。例如:

① ××牌电风扇的名气是靠吹出来的。

(某电风扇广告)

该广告语一语双关,这是由“吹”一词的多义性带来的。“吹”在这里既可理解为“吹牛”的“吹”,也可理解为“吹风”的“吹”,两种意思叠加在一起,产生了幽默诙谐的效果。又如:

② 想要皮肤好,早晚用××。

(某护肤品广告)

该广告语中的“早晚”既可理解为“早上和晚上”,也可理解为“迟早”,含义准确,运用得体,充分体现出商家对产品质量的信心。

恰当地选用多义词不仅有助于增加交际中的信息量,而且还是语言交际中岔题、移花接木、双关等修辞手段构成的重要语言因素。

2. 同义词的选用

一组同义词可以把同一概念在不同角度、不同层次上所具有的不同属性的细微差别鲜明地表现出来。如表示“看”这一动作有很多同义词：表示已经看到的，如“看见”“见到”等；表示向远处看的，如“望”“眺望”等；表示向上看的，如“仰视”“仰望”等；表示向下看的，如“鸟瞰”“俯视”；表示偷偷地看的，如“窥”“窥视”；表示专注地看的，如“盯”“注视”等；表示仔细地看的，如“审视”“查看”等；表示快速地看的，如“瞥”“扫视”等。这些意义相同或相近而有细微差别的同义词，有助于人们区分客观事物或思想感情的细微差异，使人们的语言表达更加精确、严密。

同义词可以满足交际上的需要，构成“委婉语”“禁忌语”等，如在某些场合，用“丰满”代替“肥胖”，用“苗条”代替“瘦”，用“洗手间”代替“厕所”，用“去世”代替“死”，用“成家”代替“结婚”，用“有喜”代替“怀孕”，等等。这样可以避免伤害对方的自尊心，或避免犯忌、难堪，使交谈在愉快、和谐的氛围中进行。这就是修辞格中所说的“婉曲”。

人们常常将一组同义词分别用于同一段话的不同位置，让它们互相配合，相得益彰。例如：

③ 远望天山，美丽多姿，那长年积雪高插云霄的群峰，像集体起舞时的维吾尔族少女的珠冠，银光闪闪；那富于色彩的连绵不断的山峦，像孔雀开屏，艳丽迷人。……就在雪的群峰的围绕中，一片奇丽的千里牧场展现在你的眼前。墨绿的原始森林和鲜艳的野花，给这辽阔的千里牧场镶上了双重富丽的花边。

（碧野《天山景物记》）

例③用了“美丽”“艳丽”“奇丽”“富丽”四个同义形容词来描写天山之美。同中有异，配合得当，既避免了重复，又突出了表达内容。

同义词还可以构成具有特殊色彩的成语，如“花言巧语、家喻户晓、轻描淡写、百依百顺、斩钉截铁、真心实意、超凡脱俗、超群出众”等。

3. 反义词的选用

反义词的使用可以揭示事物的相反或相对的关系，突出事物的本质特征，使表意更加深刻周全。例如：

④ 很多时候，我们会觉得烦恼无尽，其实不过是自己走不出一个心理误区，不懂得遇事要学会刚柔相济，柔能克刚；同时更不

相信后退原来是向前的道理。……人生在世起落寻常,当进则进、当退则退、进退有据,高下在心。

(吉峰《后退原来是向前》)

例④用“刚”和“柔”、“后退”和“向前”、“起”和“落”、“进”和“退”、“高”和“下”五对反义词,从正反两方面深刻地说明了人生所应有的积极态度。

有的时候,恰当选用反义词,表面上看来前后意义似乎自相矛盾,但实质上充满辩证关系、富含哲理。例如:

⑤ 乱得真整齐!

(金羊网)

这是一个新闻标题,新闻内容说的是由于有关部门整治不力,大量非法营运车辆聚集在火车站附近等候拉客。“乱”是指非法营运,“整齐”是指这些违法车辆也能按先后顺序排队。“乱”和“整齐”表面看是矛盾的,但联系现场却是合乎事理的。又如:

⑥ 明智的人知道什么时候该糊涂。

(网易博客)

⑦ 越是聪明人,越要懂得下笨功夫。

(钱锺书)

反义词常用来构成对偶、对比、映衬的修辞手法,从而使所要表达的语句具有鲜明的色彩和更强烈的说服力。例如:

⑧ 有福你享,有难我当。

(某保险公司广告)

⑨ 臭名远扬,香飘万里。

(某臭豆腐广告)

⑩ 关住冰冷,敞开热情。

(某冷冻设备公司广告)

汉语中的不少熟语,也经常利用反义词或反义语素突出正反对比或对立的表达效果。如“深入浅出”“因祸得福”“好逸恶劳”“多栽花,少种刺”“失败是成功之母”“虚心使人进步,骄傲使人落后”。

4. 类义词的选用

类义词是表示同类概念的一组词，属于同一类属义场。在一段文字中恰当地选用一些类义词，往往能取得很好的表达效果。例如：

⑪ 人生百年转瞬尽，休道“漫漫其修远”。坎坷、挫折、失误、不幸常常冷不丁就给你一击，叫你痛苦、流泪、不堪、倦顿。你可以苟延残喘，但是绝不能从此风平浪静。急流跌落险滩，潮汐遭遇暗礁，雄鹰卷进长风……从来造化注定生命以劫难，谁个三头六臂能躲开。唯一的唯一就是让人生充满希望。

（余启富《希望》）

例⑪共用了“坎坷、挫折、失误、不幸”“痛苦、流泪、不堪、倦顿”“急流、潮汐”“险滩、暗礁”“三、六”“头、臂”六组类义词，同一类属意义的词之间相辅相成，使所要表达的相关意义更加全面、完整和丰满。

又如：

⑫ 我是由无数的星辰日月草木山川的精华汇聚而成的。只要计算一下我们一生吃进去多少谷物，饮下多少清水，才凝聚成这具美好的躯体，我们一定会为那数字的庞大而惊讶。平日里，我们尚要珍惜一粒米、一叶菜，难道可以对亿万粒菽粟、亿万滴甘露濡养的万物之灵，掉以丝毫的轻心吗？

（毕淑敏《我很重要》）

例⑫中有关天文地理、粮食谷物以及数量的类义词，接连使用，视野开阔，立意深远，语势跌宕。

许多熟语也由类义词或类义语素构成，相关意义彼此补足，使表意更加周全、到位。如“山清水秀”“冰天雪地”“眉开眼笑”“清明忙种麦，谷雨种大田”“读书有三到，心到眼到口到”“书山有路勤为径，学海无涯苦作舟”。

在实际的语言运用中，义类的选用常常不是孤立的，同义、反义和类义往往综合交叉在一起使用。例如：

⑬ 以人为镜，可以知道自己的得失、是非、善恶，从中照出不足和缺陷，然后拾遗补漏，纠正不足，防微杜渐，从而使自己臻于完

善，趋近完美。

（王力《交际要“以人为镜”》）

例⑬中“不足”与“缺陷”、“完善”与“完美”、“臻于”与“趋近”、“拾遗”与“补漏”、“防微”与“杜渐”是同义，“得”与“失”、“是”与“非”、“善”与“恶”是反义，“得失、是非、善恶”是类义。

（三）同素词语的选用

含有相同语素的一组词语称为同素词语。同素词语之间有各种不同的关系，从同素词语所指称的事物来看，有的同类，如“梅花、兰花、菊花”等；有的不同类，如“脑海、辞海、云海”等。从表达的意义来看，有的同义，如“瑰丽、艳丽、绮丽”等；有的反义，如“长处、短处”“希望、绝望”等。此外，还有的读音完全相同，如“阅己、越己、悦己”“无味、无谓、无畏”等。同素词语的配合使用可以使这个共同语素表达的意义更为突显，能够产生互相补充、衬托和对照等效果。例如：

① 桃树、杏树、梨树，你不让我，我不让你，都开满了花赶趟儿。

（朱自清《春》）

② 吃动物怕激素，吃植物怕毒素，喝饮料怕色素。

（民间顺口溜）

例①②中同素词语将相关的事物连续地排列在一起，起到相互补充、全面陈述的作用。

③ 没有功劳有苦劳，没有苦劳有疲劳。

（电视剧《康熙王朝》台词）

例③中的同素词语通过层层递进的方式来说明某种事理。

④ 得之坦然，失之淡然，顺其自然，争其必然。

⑤ 记住别人的好处，学习别人的长处，宽容别人的短处，理解别人的难处。

（《广州日报》）

例④⑤的同素词语能够从不同侧面、不同角度对同一事理进行阐述。

⑥ 此刻打盹，你将做梦；而此刻学习，你将圆梦。

（百度题库）

例⑥中的同素词语能够揭示不同事件之间的哲理、逻辑关系。

⑦ 走过，路过，不要错过！ （街头吆喝）

例⑦中的同素词语能够将表面上无关的事情通过相同的形式连贯起来，使之成为一个有机的整体。

⑧ 人不可有傲气，但不能无傲骨。

⑨ 不要生气要争气，不要看破要突破，不要心动要行动。

例⑧⑨中的同素词语将肯定和否定、正面和反面相对比，明确表达自己的观点和态度。

同素词语的选用，或相互补充，或层层递进，或正反对比，从不同角度阐述事理，表明态度。同时，利用形式上的重复，韵律上的协调，使作品呈现出回环往复之美，产生化平凡为神奇的功效，大大增强语言的表现力。

二、词语的变用

词语的运用一般情况下要符合词语的意义规范和语法规范，但为了表达上的某种需要，在特定的语境中可以突破规范，创造性地运用某些词语，这就是词语的变用。词语的变用大致可以分为以下几种情况。

（一）改变词语原有的意义

每个词语都有它固有的意义，在语言的实际使用中，为了取得某种表达效果，有时可以临时赋予它一个新的意义。例如：

① 上海39℃烈日灼人　未来三天“热情”难减

（新闻标题）

② “日光盘”频现　8月广州楼市再现量价齐涨

（新闻标题）

③ 我们希望培养更多精通华文的人才，也就是说，我们不但有“精英”，我们还有“精华”。

（黄循财）

例①中“热情”指“炎热的情况”。例②的“日光”说的是楼盘刚一推出销售,当天就卖光。这种临时的用法新奇巧妙,富有谐趣。例③“精英”的本来意义是“出类拔萃的人”,“精华”的本来意义是“事物最好、最重要的部分”。此例中,“精英”是指精通英文的人才,“精华”是指精通华文的人才。

(二) 改变词语原有的词性

一般来说,每个词语都属于特定的词类,具有相对固定的语法功能,但在具体的语境中,可以临时改变这个词语原有的词性,让它具有另一类词语的语法功能。例如:

① 老栓,就是运气了你!

(鲁迅《药》)

② 宝玉听说,便猴向凤姐身上立刻要牌。

(《红楼梦》)

③ 在经年后,感叹,那两个少年:一个惊艳了时光,一个温柔了岁月。

(苏剧《经年》)

例①将名词“运气”用作动词,带了宾语,能突出表现作品人物大大咧咧、口无遮拦、趾高气扬、粗鲁野蛮的性格特点。例②将名词“猴”字用作动词,表示贾宝玉做出像猴一样的动作,形象感很强。例③“惊艳”和“温柔”两个形容词用作动词,既突出了两个少年成长的动态感,又使表达更加形象生动、新奇有趣。

(三) 对原有词语进行拆分并分别解释

有些词语的原有意义并非构成这个词语的各成分意义的简单相加,而是以整体形式呈现出来的。有时在特定的语境中,可以将这个词语进行拆分,对构成该词语的各个成分的意义分别做出解释,从而产生“望文生义”的效果。例如:

① “危机”这个词,一个字代表“危险”,另一个字代表“机会”。

(《箴言集锦》)

② 所谓门槛，能力够了就是门，能力不够就是槛。

（陆天然）

“危机”的本来意义，一是指危险的根由，二是指严重困难的关头，显然不是“危险”和“机会”两词相加的含义。例①对它进行拆分并分别加以解释，目的在于告诫人们面对危机，要变困境为机会，化不利为有利。这种解释显得巧妙而富于情趣。例②将“门槛”拆分成“门”和“槛”，分别表示“通道”和“障碍”，不同于“门槛”这个词本来的意义，富于哲理。

（四）比照现有词语的结构临时仿造一个新的词语

这种词语变用是在原有词语的基础上，比照原有词语的结构规则，临时造出一个新的词语。例如：

① 应有尽有，不如应无尽无。

（新浪博客）

② 得意忘形并不可怕，可怕的是得意忘人，得意忘心。忘了世界上还有别人的存在，忘了做人要有良心。

（百度空间）

例①比照“应有尽有”，仿造出“应无尽无”，例②比照“得意忘形”，仿造出“得意忘人”“得意忘心”，达到一种新奇活泼的效果，既是意料之外，又在情理之中。这种比照旧词、仿造新词的方式也就是辞格中所说的“仿拟”。

（五）改变词语原有的搭配关系

词语之间的搭配有一定的规则限制，但在特定的语境下，可以临时改变某个词语惯常的搭配对象，这种搭配新鲜机巧，令人耳目一新。例如：

① 她们被幽闭在宫闱里，戴了花冠，穿着美丽的服装，可是陪伴着她们的只是七弦琴和寂寞的梧桐树。

（周而复《上海的早晨》）

② 今年第一场最强冷空气已经发货

（今日头条）

例①“寂寞”一词通常是用于指人的心理感受的，这里却将它跟“梧桐树”搭配，赋予梧桐树以人的感情，更加衬托出人的寂寞之情。例②“发货”一词本应跟具体可感的、有形的物品搭配，这里将它与“冷空气”搭配，表达的意思是：北方冷空气气流已经形成，并且正在南下的过程中。表达新鲜活泼，易吸引人们的注意力。

(六) 变换词语构成成分的位置

在前文使用某个词语之后，后文再使用与该词语构成成分相同、顺序相反的词语，前后两个词语意义上大相径庭，形成对比，产生出一种新颖别致的效果。例如：

① 好几个拿了介绍信来见的人，履历上写在外国“讲学”多次。高松年自己在欧洲一个小国读过书，知道往往自以为讲学，听众以为他在学讲——讲不来外国话借此学学。

(钱锺书《围城》)

② 动感亚洲，感动世界

(广州亚运会公益广告)

③ 可以选择放弃，但不能放弃选择。

(网易论坛)

例①把“讲学”换成“学讲”，意义大变。例②“动感亚洲”指的是亚洲人民丰富多彩、充满活力的体育运动，“感动世界”是指亚洲人民的精神面貌让世界感动。例③“选择放弃”是一种积极行为，而“放弃选择”是一种消极行为。

(七) 赋予同形词语不同的含义

让同形的词语在一段话中出现两次，两次的含义各不相同。例如：

① 新年过了一个月，母亲才带4岁的儿子去探望美女上司。见面后，母亲对儿子说：“这是王阿姨，给她拜个晚年吧！”儿子大声地说：“祝王阿姨晚年快乐！”

(《广州日报》)

② 五号线因连城而价值连城。

(金羊网)

③ 冰心一片冰心

（牛群摄影题词）

例①“拜个晚年”的“晚年”和“晚年快乐”的“晚年”意义是不一样的，而小孩不明白这一点，以为是同一个意思，因而产生了幽默的效果。例②前一个“连城”指的是地铁五号线将广州的城东和城西连接起来了，后一个“连城”就是成语“价值连城”中的含义，将地铁的功能和价值巧妙地结合起来，能有效地吸引读者的眼球。例③前一个“冰心”是作家名，后一个“冰心”是“品格高洁”的意思，将人名与品格联系在一起，人如其名，突出了作家冰心的品格。

词语的变用是具体语言环境下的一种临时用法，它对语言环境的依赖性很强。只有结合具体的语言环境进行灵活巧妙的变用，才能达到理想的效果。离开了特定的语言环境，词语的变用就有可能违反语言使用的规范要求，甚至造成语病。

复习与练习（三）

一、复习题

1. 词语色彩的选用包括哪几方面？各有什么修辞效果？

2. 多义词、同义词、反义词、类义词在语言运用中各有什么样的修辞作用？

3. 词语的变用主要包括哪几方面？各有什么修辞功能？

二、练习题

1. 对比下列加点词语的意义，说明它们所起到的修辞作用。

（1）排队挂号，头昏眼花；医生诊断，天女散花；药品收费，雾里看花；久治不愈，药费白花。

（2）初见倾心，再见痴心。煞费苦心，欲得芳心。想得烦心，等得焦心。只恨你心，不懂我心。愿以恒心，融化你心。

（3）我是胖人，不是粗人。

2. 分析下列每段话在词语选用方面的特点。

（1）女孩都追求安稳，但是又不能太安稳，这安稳里带一点不安分,但这点不安分又不能破坏安稳。

(《我的青春我做主》)

(2) 人真是充满矛盾的怪物:人有爱,也有恨;人制造工具,也制造武器;人讲交情,也讲交易;人向往坦诚,却常常虚伪;人憧憬纯洁,又被迫世故;人热爱宁静,却又热衷名利……

(《环球时报》)

(3) 当新名人取得了骄人的成绩,有人就希望老名人要有一颗平常心,这样才不至于失落、惆怅、郁闷、甚至痛苦。所以,持平常心者被公众认为是一种美德,一种风度,一种修养。

(阿成《平常心》)

(4) 刚才主席已经声明,我这个不是报告,是讲话。我想也不是讲话,是谈话或者谈心。我是一个代表……跟大家一起谈谈心。我今天说的话,打算分两个部分。

(吕叔湘《关于中学语文教学的种种问题》)

3. 分析下列句子在词语变用方面的特点。

(1) 姓钱不爱钱的钱锺书——钱锺书拒收稿酬。

(2) 长江变成"黄河"了——关于长江水土流失的报告。

(3) 市场解决一万问题,市长解决万一问题。

(4) 经济适用房,经济了谁?

(5) 在那被洗去的浮艳下,我能看到她们在日光下所深藏的恬静的红,冷落的紫和苦笑的白与绿。

(6) 过了就错了,这就是过错。

(7) 任何天衣无缝的故事,到了她那儿,都会变得天衣有缝。

第四节 句子修辞

人们说话或写文章时,需要根据表达的内容和情感,合理安排句子的结构,选择恰当的句子形式。现代汉语的句子形式种类多样,从结构成分的多少看,可分为长句和短句;从句子结构是否整齐看,可分为整句和散句;从句子主语与动词的施受关系看,可分为主动句和被动句；从句子的判断形式看，可分为肯定句和否定句。另外，设问句和反问句也是具有修辞功能的两种句子形式。要取得好的修辞效果，就必须根据语境和语体选择相应的句式。

一、长句和短句

长句是指词语较多、结构较复杂的句子。短句是指词语较少、结构较简单的句子。长句表意较丰富、周密、细致；短句表意较简洁、明快、灵活。例如：

① 这些现实问题，从看病贵、看病难到上学贵；从房价高到地区、城乡、行业之间收入的扩大；从新农村的建设到就业问题；从打破垄断到分配机制的改革；从环境污染严重再到严峻的安全形势——包括公共安全、食品卫生安全、生产安全等，无一不是去年以来民众和社会舆论最为关注的焦点问题。

（《广州日报》）

② 和人相处，最简单不过。你敬人一尺，人家敬你一丈。反过来，你不仁，人家也不义。要想把做人学好，你就记住三句话：待人真诚，做事规矩，态度谦恭。有这三条，就算齐了。

（《演讲与口才》）

例①用的是长句，主语后面有一长串“从……到……”，从不同角度列举了各种现实问题，全面周到。例②用了很多短句，告诫人们如何获得别人的尊重，表达简洁、有力。

长句之所以长，往往是因为修饰语或联合成分较多，某一结构成分复杂，如例①。下面的例③也是一个长句，包含了由多个联合成分构成的复杂定语。

③ 我们要想办法引导他做好人，在学校做一个学会做人、学会求知、学会健身、学会审美的好学生；在家里做一个有礼貌、有能力、有热情的好孩子；在社区做一个遵守法纪法规、遵守社会公德的好公民！

（王学兵《在岳阳一中家长会上的演讲》）

例③中的“好学生”“好孩子”和“好公民”前的定语都含两个或以上的联合成分。这些复杂定语的使用,较为全面详尽地表达了演讲者的意图,结构也较为紧凑,读起来有一种气势感。

长句和短句的交错出现,可使行文疏密有致、生动活泼,同时具有这两种句式的修辞效果。例如:

④ 的确,一个人若失去自主,失去自己,那是最大的不幸,也就掉进了人生最大的陷阱。条条大路通罗马,无论哪一条,都要自己去选择,相信自己,永远比让别人来证明自己重要得多。一个人无疑要在骚动的、多变的世界面前亮出自己,勇敢地去拼搏,并果断地、毫无顾忌地向世人宣告并展示自己的能力、风采、气度和才智。

(《青年精品文摘》)

例④长短句结合既能清楚地把思想表达出来,又能使语言富有变化,节奏明快,大大增强了感染力。

二、整句和散句

整句是指结构相同或相似、形式整齐的一组句子。散句是指结构不整齐、长短不一的句子交错运用的一组句子。

整句能体现出语言的整齐美、均衡美,增强语言的气势和力度;散句不拘一格,灵活多变,能体现出语言的参差美、变化美。例如:

① 下棋不能无争,争的范围有大有小,有斤斤计较而因小失大者,有不拘小节而眼观全局者,有短兵相接作生死斗者,有各自为战而旗鼓相当者,有赶尽杀绝一步不让者,有好勇斗狠同归于尽者,有一面下棋一面诮骂者,但最不幸的是争的范围超出了棋盘,而拳足交加。

(梁实秋《下棋》)

例①七个“有……者”属整句,罗列了“争”的范围,形式整齐,读来一气呵成,酣畅淋漓。

② 院子里有一棵小柳树和一棵小枣树。春天,小柳树率先舒枝

展叶，宛如美丽的小姑娘。她嘲笑小枣树光秃秃的树枝“真难看”。过了好些日子，小枣树才开始发芽长叶，而小柳树叶子已经又细又长，他得意地在风中舞蹈。秋天到了，小枣树结了许多又红又大的枣子，让人们高高兴兴地享用。小柳树看看自己身上，什么也没有结，她羞愧地低下了头，以为小枣树一定会讥讽她。然而小枣树不计前嫌，对她说：“你绿得比我早，提前迎接春天，真好；再说你长得比我快，人们能在你的树荫下乘凉，多好！”

（滔红单《寓言的另一种读法》）

例②运用了长短不一、结构不同的散句。小柳树和小枣树对话的有趣情景，通过这些多变的散句生动活泼地表现了出来。

在实际的语言运用中，单用整句容易使语言单调、呆板，单用散句会让语言缺少节奏感和韵律美。所以，整句和散句应该结合起来使用，这样可以兼顾两种句式的表达效果。例如：

③ 要知道，明星不过是受到大家关注的普通人罢了；和社会上各个行当一样，唱歌、演艺也只是一种职业；和各行各业的技艺一样，他们表现的也是一种技艺。可当你把所有的热情、精力和金钱都送给了那个明星的时候，我亲爱的追星朋友们，你可知道，你付出这一切，换来的也许只是一个美丽的泡影。同时，生活的外延极其深厚和宽广。除了偶像明星之外，我们还有幸福的家庭，甜蜜的爱情，纯真的友情，快乐的工作，美好的人生啊。相比那个虚无缥缈的偶像明星，哪个更重要呢？

（萧琼《如此追星可以休矣》）

例③有整句，有散句，整散兼用，既有整齐美，又有变化美。

三、主动句和被动句

主动句以施事做主语，突出动作的发出者，强调发出者的动作、行为怎么样。被动句以受事做主语，突出动作的承受者，强调承受者接受动作支配后的结果。

实际的语言运用中，主动句用得比较多，而被动句相对用得少一些。从修辞的角度看,被动句主要用于以下几种情况。

1. 为了突出动作的承受者,强调承受者所经受的动作、行为及其带来的结果。例如:

① 教室门被踢坏了,锁不上了。

② 他的钱包给人偷走了,没钱买回家的车票。

2. 为了保持叙述角度的一致,使前后话题连贯、语义顺畅。例如:

③ 好了,月亮上来了,却又让云遮去了一半,老远的躲在树缝里,像个乡下姑娘,羞答答的。

(朱自清《松堂游记》)

例③为了保持叙述角度的一致,让“月亮”这个话题延续下去,用了一个被动句“却又让云遮去了一半”,接下去还是讲的月亮怎么样。前后话题统一,衔接紧密。

3. 大多表示不如意的事情。例如:

④ 他在回家的路上叫摩托车撞了,现在正在医院接受治疗。

⑤ 1600 年 2 月 17 日,布鲁诺在罗马百花广场上,被活活烧死。

四、肯定句和否定句

同样一个意思,既可以用肯定句表达,也可以用否定句表达,但它们的语意轻重、强弱不同。如“他们的技术力量强”,也可说成“他们的技术力量不弱”,前一种是肯定的说法,语意强一些;后一种是否定的说法,语意弱一些。

肯定句中如果带有贬义或负面意义的词语,容易引起相关人的不愉快时,就换用否定句,这样会比较平和,如“他个子矮”,也可说成“他个子不高”。后一句比前一句显得委婉些。

双重否定句表示的意思是肯定的,但不同的句子肯定的意味、强度不一样,这跟它所表达的内容和上下文有关,就多数情况来说,双重否定句表达的肯定语意比一般肯定句更强。例如:

① a. 整个小区的业主没有他不认识的。

b. 整个小区的业主他都认识。

② a. 到了广州，不能不夜游珠江。

b. 到了广州，应该夜游珠江。

例①、例②中 a 句的肯定语意比 b 句强。

有时，双重否定句用“不是没有”“不无”的格式，语意反而比肯定句弱一些。例如：

③ a. 这款手机不是没有缺点。

b. 这款手机有缺点。

④ a. 你讲的这些不无道理。

b. 你讲的这些有道理。

例③、例④中 a 句的肯定语意弱些，b 句的肯定语意强些。

有时，为了强调、突出一件事情或一个观点，可以同时从肯定方面和否定方面分别表述，将肯定句和否定句前后排列，从正反两个方面说明情况或表明观点。例如：

⑤ 中山大学，在广州，不在中山。

⑥ 我快乐，不是因为我拥有的很多，而是因为我计较的很少。

这里的肯定、否定前后排列，起到了相互映衬、加强语势、增强效果的作用。

五、设问句和反问句

（一）设问句

设问句主要用来提示话语的主题，吸引读者的注意力，使表达的重点更加显豁。例如：

① 为什么我的眼里常含泪水？因为我对这土地爱得深沉……

（艾青《我爱这土地》）

有的设问句可以起到承上启下的作用，使文章衔接更加紧密，条理更加清晰。例如：

② 虚和实的关系，也就是理论和事例的关系。理论从哪里来？

从事实中来。事实从哪里来？从观察中来，从实验中来。

（吕叔湘《把我国语言科学推向前进》）

设问句还可使文章句式显得起伏多变，避免全文句式的单调、呆板。例如：

③ 我们回顾一下历史。人类的远古时期，有没有生产劳动？当然有。有没有生产力？当然有。但是有没有科学技术？那就说不上了，大概只是生产劳动的经验而已。

（钱学森《对我国科学技术事业的一些思考》）

（二）反问句

反问句语势强烈，比陈述句更有力量。反问句有肯定形式和否定形式。它所表示的意义和它的形式正相反，肯定形式表示否定意义，否定形式表示肯定意义。例如：

① 冬天来了，春天还会远吗？

② 我们对别人的宽容，何尝不是对自己的宽容？

反问句在论辩中用得很频繁，论辩需要反驳和辩护，双方观点针锋相对，双方都要想方设法维护自己的观点并寻找对方的弱点，使用反问句可以加强语气，强调观点，构成心理上的优势，营造使对方紧张的气氛。例如：

③ 正方：可是，当这位老太太得了艾滋病，社会上有多少人关心她呢？有成百上千的医务工作人员去帮助她吗？

反方：一个人得了病也许不是社会问题，千百万人得了艾滋病难道还不成为社会问题吗？

正方：那千百万人还得过感冒，千百万人还曾经得过心脏病，难道这都是社会问题？

反方：一个人打喷嚏不是社会问题，但如果我们全场的人同时打个喷嚏——还不是社会问题吗？

（首届国际华语大专辩论会《艾滋病是医学问题，不是/也是社会问题》）

这里用了多个反问句，每一个反问句都咄咄逼人，增强了进攻力和防守力。反方的最后一个反问句巧妙地避开了对方的进攻，没有让对方占据优势，反而有力地反驳了对方。

复习与练习（四）

一、复习题

1. 长句与短句、整句与散句各有什么样的修辞效果？

2. 从修辞的角度看，被动句主要用于哪几种情况？

3. 在表意相同的情况下，使用肯定句与否定句有什么不同的表达效果？

4. 设问句、反问句各有什么样的修辞作用？

二、练习题

从句子修辞角度，指出下列语句的句子形式及其表达效果。

（1）春季给您带来沉醉，夏季给您带来欣慰，秋季给您带来甜美，冬季给您带来回味。

（2）死海的水浮力为什么那么大？因为海水的咸度高。

（3）我是你的员工，不是你的仆人。

（4）有时，我们总是把别人的成功归结于运气好，把自己的不幸归咎于上天的不公，但有没有想过，之所以有人能抵御住各种声色利禄的困扰，是因为他们思想过硬；之所以有人能在激流险滩中“胜似闲庭信步”，是因为他们实力雄厚；之所以有人能在关键时刻扼住命运的咽喉，是因为他们意志坚强。

（5）与学习同行，你会发现：原来春有百花，夏有凉风，秋有朗月，冬有飞雪，教师人生的四季风光竟是如此迷人！我们的教育事业原来可以如此灿烂辉煌！

（6）有谁愿意和灰头土脸、萎靡不振的人为伍呢？

（7）如果有了这样的胸怀，还有什么容不下的东西呢？还有什么意见不能听取，什么缺点和错误不能改正呢？

（8）北京的气候，对养花来说，不算很好。冬天冷，春天多风，夏天不是天旱,就是大雨倾盆,秋天最好,可是忽然会闹霜冻。在这种气候里,想把南方的好花养活,我还没有那么大的本事。因此,我只养些好种易活、自己会奋斗的花草。

第五节 辞格

辞格就是为了增强语言表达的修辞效果而采用的一些特殊的修辞手段,由于这些修辞手段大都有一定的格式,因此叫修辞格,简称辞格。

一、比喻

比喻是指在描写事物或说明道理时,用跟它有相似点但本质上又不同的别的事物或道理来打比方。

(一) 比喻的构成要素

比喻有三个构成要素,即本体、喻体和喻词。本体是指被比喻的事物,喻体是指用来比喻的事物,喻词是连接本体和喻体的词语。例如:

诱惑犹如病毒,人们只有坚定地抵抗诱惑,朝着正确的目标前进,不受外界的干扰和影响,达到一种忘我的境界,才有可能是最后的赢家。

(刘露《抵制诱惑》)

上例中"诱惑"是本体,"病毒"是喻体,"犹如"是喻词。本体、喻体可以是具体的人或事物,也可以是某种动作、行为、性质、道理等。

(二) 比喻的类型

根据本体、喻体和喻词运用情况的不同,比喻可以分为明喻、暗喻和借喻三种常见的类型。

1. 明喻

本体、喻体都出现,喻词是"像、好像、如、如同、犹如、似、恰似、好似、若、仿佛"等词语。例如:

① 按捺不下的好奇心和希冀像火炉上烧滚的水,勃勃的掀动壶盖。

（钱锺书《围城》）

喻词“一样、似的、一般、般”等可以单独放在喻词后面，也可以跟前面的“像、好像、如、如同、犹如”等一起构成“像……一样”“像……似的”“如同……一般”等格式。例如：

② 屋里连一朵花，一根草，都没有，冷阴阴的如同山洞一般。

（冰心《超人》）

2. 暗喻

暗喻也叫隐喻，本体、喻体也都出现，但喻词是“是、就是、为、成为、变成、等于、当作”等词语。例如：

③ 每个人都有五个球：工作、健康、家庭、朋友、灵魂。工作是橡胶球，掉下去会弹起来；另外四个都是玻璃球，掉了……就碎了。

（《广州日报》）

3. 借喻

本体不出现，也不用喻词，直接用喻体代替本体。与明喻、暗喻相比，借喻的本体和喻体关系最密切。例如：

④ 其缺点是见树木而不见森林，拣了芝麻、绿豆却丢了西瓜。

（吴晗《论读书》）

例④用“树木”“森林”来比喻个体和整体，用“芝麻”“绿豆”来比喻价值小的事物，用“西瓜”来比喻价值大的事物。

用比喻来说明事理，可以使复杂变简单，使深奥变浅显，使抽象变具体；用来描述事物，可以使描述的对象形象、生动；用来刻画人物，可以使人物形象传神、逼真。

二、比拟

把物当作人来写，把人当作物来写，或把一物当作另一物来写，这种辞格叫比拟。比拟分拟人、拟物两种。

1. 拟人

把物当作人来写，赋予物以人的动作行为或思想情感。例如：

①太阳就在我的身旁,我不用抬头就可以从舷窗望见她,她在丝丝缕缕的云层后羞怯着脸,也许是她的表情太夸张,惹得周围的云也一并不好意思起来。

(何炅《高处不胜寒》)

例①赋予太阳和云以人的动作行为和思想感情,增添了语言表达的生动性、情趣性。

② 在被网友戏称为“楼脆脆”的这栋在建高楼,呈卧倒状亲吻大地,并以匍匐的姿态向世人走光露底。

(广州视窗网)

例②将倒塌的高楼赋予人的动作行为,非常形象地描绘了在建高楼倒塌时的情形,讥讽了楼房的建筑商们偷工减料导致建筑质量低劣的行为。

2. 拟物

把人当作物来写,使人具有物的性质、情态或动作;或把甲物当作乙物来写,使甲物具有乙物的一些特点、性状。

把人当作物来写的,例如:

③ 有一天,我在家听到打门,开门看见老王直僵僵地镶嵌在门框里。

(杨绛《老王》)

④ 我们要主宰自己,好好把握现在,把翅膀练硬了,才有飞翔的那天。

(《广州日报》)

把甲物当作乙物来写的,例如:

⑤ 每天把牢骚拿出来晒晒太阳,心情就不会缺钙了!

(太平洋电脑网)

⑥ 经济问题说多了太枯燥。这个问题打个结挂起来。

(天涯社区)

把物当作人来写,赋予物以人的特性,不仅能把人的感情寄托于物,使感情得到充分的抒发,而且能把物写得生动活泼,富有情趣。把人当作物来写，常含讽刺意味，带有贬斥的感情。把一物当作另一物来写，使抽象的事物变成具体有形的事物，使没有生命的东西变成有生命的东西，用于说理更易被人们理解、接受，能鲜明地表达作者的爱憎情感，同时也使语言显得新颖、生动。

比拟和比喻有相似之处，它们都是以甲事物比作乙事物。但它们有一个根本的区别，那就是比喻中的喻体一定出现，而比拟中用来作为比拟的人或事物即“拟体”并不出现。

三、借代

借代就是不用事物本来的名称，而用跟它有密切关系的其他事物的名称去代替。被代替的叫本体，用来代替的叫借体。例如：

① “一年一次？”长辫子很有把握地问。

（王友生《漩涡》）

例①“长辫子”指小说中那个有着长辫子的叫“李明”的女子。“李明”是本体，“长辫子”是借体。

根据本体与借体的关系，借代可分为不同的类型。例如：

② 大雨帮了忙，赶跑了那些讨厌的眼睛。（部分代整体）

（流沙河《眼睛》）

③ 小朱说，老赵您不是做生意了吗？什么时候您也请咱们上那儿撮一顿，让咱们这帮刘姥姥也长回见识。（专名代泛称）

（宁空《赶海》）

④ 何洁回来，大口喘气，指指帆布包，笑着对我说：“我把你的前半生提回来了。”（“前半生”代前半生的日记——抽象代具体）

（《随笔》）

⑤ 方鸿渐从此死心不敢妄想，开始读叔本华……（作者代作品）

（钱锺书《围城》）

⑥ 买了两瓶绍兴，喜滋滋地往回走。（产地代产品）

⑦ 在苏黎世的旅馆里，拥挤着各种肤色；在苏黎世的大街上，交响着各种语言。（事物的特征或标记代本体）

（顾笑言《李宗仁归来》）

借代是一种运用广泛的辞格，只要本体和借体有某种相关性，就可构成借代。除了上面列举的，还有很多种类。

恰当地运用借代，可以突出事物的特征、属性；可以丰富语意，使表达活泼风趣，行文简洁。

运用借代需要注意两点：一是借体要有代表性，要能代表本体；二是有的时候需要在上下文中对本体有所交代，否则借体可能指代不明。

四、夸张

通过形象化的语言，对客观的人、事物加以艺术化地夸大或缩小描述，这种修辞方式叫夸张。例如：

① 他委实是支撑不住了，他的一双眼皮像有几百斤重，只想合下来。

（茅盾《春蚕》）

例①“一双眼皮像有几百斤重”说明“他”已到了非常困的程度。

夸张可以分成扩大夸张和缩小夸张两种类型。

1. 扩大夸张

故意把一般的事物往大里说。例如：

② 石油工人一声吼，地球也要抖三抖。

（电影《创业》插曲）

有时要对时间上后出现的事进行夸张，可以故意把后出现的事说成是先出现的，或是同时出现的。例如：

③ “你放心，回头见！”刘铁柱话音还在，人早已不见了。

（豆丁网）

2. 缩小夸张

故意把一般的事物往小里说。例如：

④ 草原上的星星悬得特别低，好像只要你高兴，随时都可以摘下一把来。

（华莎《母女浪游中国》）

夸张可以突出强调事物的特点，深刻地揭示事物的本质，鲜明地表明立场观点，更好地渲染环境气氛，给人以强烈的艺术感染力。

夸张要合乎情理，要有一定的事实根据；夸张要真实，包括感情的真实和意境的真实；夸张要夸得充分、突出，要让人一看便知道是夸张，不能似是而非。夸张往往跟比喻、比拟结合在一起使用。

五、拈连

拈连就是把用于甲事物的词语“拈”来“连”在乙事物上。一般来说，甲事物比较具体，多数在前；乙事物比较抽象，多数在后。拈连词语跟甲事物的搭配是合乎常规的，而跟乙事物的搭配是超越常规的。例如：

① 小木船在江中吱吱呀呀地摇呀摇，年轻姑娘的天真理想也在眼前摇呀摇，她想得太美了。

（理由《她有多少孩子——记妇产科专家林巧稚》）

例①“摇呀摇”跟甲事物“小木船”是常规搭配，“摇呀摇”跟乙事物“理想”是超常搭配。

运用拈连时，有的拈连词语和甲乙事物都出现。例如：

② “哼！你别看我耳朵聋——可我的心并不‘聋’啊！”

（郭澄清《大刀记》）

有的只出现拈连词语和乙事物。例如：

③ 百里河里桃花浪，江上渔船穿梭忙。哥撒网来妹摇桨，一网一网兜春光。

（湖北民歌）

拈连通过拈词和拈体的超常组合，使前后两件事物联系巧妙自然，赋予抽象事物以具体形象，新颖别致，能启发人们的联想、感悟。

拈连以词语的通常用法为基础，着眼于事物之间的内在联系，要求连得自然顺畅，不能只单纯追求字面上的联系。拈连词语和乙事物的组合只有联系它和甲事物的组合才能得到确切的理解。

六、双关

借助语音或语义的联系,使同一词语有言内和言外两层意思,这种言在此而意在彼的修辞方式叫双关。从构成方式看,双关可以分为谐音双关和语义双关。

1. 谐音双关

借助音同或音近形成双关。例如:

① 高山打鼓远闻声,三姐唱歌久闻名,二十七钱摆三注,九文九文又九文。

(《刘三姐》)

这里“九文”两个字,与“久闻”谐音。汉语中的许多歇后语就是通过谐音双关来构成的,如“老九的兄弟——老实(老十)”“宋江的军师——无用(吴用)”等。

2. 语义双关

利用词语的多义性形成双关。例如:

② 您的健康是“天大”的事。

(天大药业广告词)

③ 本地话常常把普通话的第一声念成第三声,把第二声反念成第一声,阴差阳错,一不小心就跑调。

(王安忆《B角》)

例②中“天大”的事,既可指非常重要的事,也可指“天大药厂”的事。例③成语“阴差阳错”中的“阴”“阳”又分别指阴平、阳平。又如“田里的庄稼——土生土长”,这是在歇后语中的语义双关。

双关能够指物借意,产生言在此而意在彼的效果。双关语意含蓄,韵味无穷,能使语言表达充满情趣。

运用双关要求在语音或语义上有明显联系,言外之意要含而不露,又要使人体会得到,要能耐人寻味。

七、仿拟

仿拟是根据现有的语言形式临时仿造出新的语言形式的一种修辞方式。这里所说的语言形式包括词语、句子和篇章。

根据仿拟的语言形式，可分为：

1. 仿词

更换现有词语中的某个语素，临时仿造出一个新的词语。例如：

① 我跟我爸爸非常像，又非常不像；非常像的是外貌，非常不像的是“内貌”。

（夏雨田《无限青春》）

例①的“内貌”仿“外貌”所造，指的是观念。

2. 仿句

更换现有语句中的某些部分，临时仿造出一个新的语句。例如：

② 这种特殊现象，就正如我们平常所讲的那样：有意栽花花不发，无心插柳柳成荫。但普遍性的规律则是：无心插柳难成荫，有意栽花花才发。

（王学兵《在岳阳一中家长会上的演讲》）

3. 仿篇

仿照现有的篇章，拟出新的篇章。例如：

③ 伐树毁林何时了，绿地剩多少？塞外昨夜又刮风，城乡不堪回首沙尘中。山川湖泊依旧在，只是绿颜改。问君环保几多愁，恰似子胥一夜白了头。

（《成都晚报》）

此例仿照李煜的词《虞美人・春花秋月何时了》而写。

仿拟根据现有的语言形式临时仿造出新的语言形式，既可使表达内容言简意赅、富有新意，又能使语言幽默诙谐、生动活泼。

一般来说，仿拟的形式和被仿拟的对象常常同时出现在上下文中。如果只出现仿拟的形式，被仿拟的对象不出现，那么这些没有出现的词、句、篇通常都是大家所熟知的。

八、反语

反语是指故意使用与本来意思相反的语句来表达本意的一种修辞格,也叫"反话"。反语的字面意义和实际要表达的意义正好相反。

根据反语的语言形式和意义的不同,可分为反话正说和正话反说两类。

1. 反话正说

用正面的话语表达反面的意思。这种反语往往是褒词贬用。例如:

① 丁文中:凌轩,你好风光哟!你的大名上了墙壁,还劝你悬崖勒马呢!

方凌轩:哼,多承他们抬举!

(苏叔阳《丹心谱》)

这里的"风光"实际上是"倒霉"的意思,"抬举"实际上是"打击"的意思。反话正说,比直接说更有力量,具有讽刺幽默的修辞效果。

2. 正话反说

用反面的话语表达正面的意思。这种反语往往是贬词褒用。例如:

② "你——真坏!"阿梅打她的男朋友去了,撒下了一串快乐的笑声。

(廖红雷《毗邻香港的渔村》)

例②"坏"是个贬义词,这里实际上表达了对男朋友的爱意。正话反说,幽默诙谐,带有喜爱、亲切的感情意味。

反语话中有话,意在反面,明褒暗贬,明贬暗褒,是一种很幽默的修辞方式。反语是感情激发的结果,在一定的语言环境中,它往往比正说感情更强烈,更能发人深省,更深刻有力。

反语要恰当,感情要鲜明。反语要使人一看便知,不能晦涩费解,为此,需要有上下文跟它配合,口头上常用特殊的语调来体现反语,书面上常通过加引号来标明。

九、排比

把三个或三个以上结构相同或相似、内容相关、语气一致的语句排列起来，这种修辞方式叫排比。例如：

① 燕子去了，有再来的时候；杨柳枯了，有再青的时候；桃花谢了，有再开的时候。

（朱自清《匆匆》）

依据排比的语言结构，可分为句子成分的排比和句子的排比。

1. 句子成分的排比

② 那古朴的叶片，那繁花，给我这不到12平方米的陋室却带来一室的春光，一室的清香，一室的暖意。

（《随笔》）

例②是宾语的排比。此外还有主语、谓语、定语、状语、补语的排比等。

2. 句子的排比

单句排比。例如：

③ 未来的中国，将是一个经济发达、人民富裕的国家；未来的中国，将是一个充分实现民主法治、公平正义的国家；未来的中国，将是一个更加开放包容、文明和谐的国家；未来的中国，将是一个坚持和平发展、勇于担当的国家。

（《东方早报》）

复句排比。例如：

④ 你不知道自己上学花了多少钱，但是在学校里度过的美好时光让你永生难忘。你记不清家人的医疗账单有多厚，但是你永远感激拯救亲人生命的白衣天使。你记不清度蜜月的花费，但是在一起的浪漫让你心存温馨。

（冯国川《阅历胜于财富》）

排比运用结构相同或相似的整句形式，把相关的内容一气呵成地表达出来，语势强烈，语意贯通，节奏整齐有力。

排比强调结构相同或相似,但允许在不破坏整体统一的前提下有小的变化。

十、对偶

把字数相等,结构相同(或基本相同),意义相近、相反或相连的两个句子或短语成双作对地排列在一起,这种修辞方式叫对偶。

对偶可分为正对、反对、串对三类。

1. 正对

上下联意义相同、相近,两联内容上互相补充。例如:

① 领百粤风骚开一园桃李,揽九天星斗写千古文章。

(黄天骥)

② 积德无需人见,行善自有天知。

(洪应明《菜根谭》)

2. 反对

上下联意义相反、相对,两联内容上互相映衬。例如:

③ 黑发不知勤学早,白首方悔读书迟。

(颜真卿《劝学》)

④ 祸不单行昨夜行,福无双至今日至。

(王羲之)

3. 串对

上下两联意义相承、相接。由于上句和下句顺势而下,两句顺序不可调换,因此,串对又叫流水对。例如:

⑤ 煮沸三江水,同饮五岳茶。

(茶馆广告)

⑥ 酿成春夏秋冬酒,醉倒东南西北人。

(冯梦龙《警世通言》)

对偶还可分为严对和宽对两种。严对要求上下句字数相等,结构相同,相对部分词性一致,平仄相对,不重复用字,如例①—⑥。宽对在形式上要求不那么严格,只要求字数相等,结构基本相同,音韵大体和谐就可以了，有的上下句还用相同的字。例如：

⑦ 合作发展大趋势，互利共赢大潮流

（大洋网）

⑧ 惨象，已使我目不忍视；流言，尤使我耳不忍闻。

（鲁迅《记念刘和珍君》）

对偶在中国古代的诗词中用得非常普遍，在现代汉语中运用范围也相当广泛。许多对联、谚语、广告语、标题等也常用对偶。例如：

⑨ 好山好水处处风光好　新人新事行行气象新

（对联）

⑩ 宁可信其有，不可信其无。

（谚语）

⑪ 千年羊城，南国明珠

（广州城市形象宣传语）

⑫ “赶鸭团”遭冷落，“慢游团”受青睐

（新闻标题）

对偶在形式上整齐美观，协调匀称，显示出一种对称美；在内容上言简意赅，概括力强，显示出一种凝练美。

运用对偶时要考虑是否适应表达内容的需要，不可为了追求形式上的工整而任意拼凑，使用严对有损内容表达时，就采用宽对，不必刻意追求字面上的完美。

复习与练习（五）

一、复习题

1. 什么是比喻？比喻中的明喻、暗喻和借喻有什么不同？
2. 什么是比拟？比拟和比喻有什么不同？
3. 什么是借代？常见的借代类型有哪些？
4. 什么是夸张？夸张有哪些类型？
5. 什么是拈连？
6. 什么是双关？双关的构成方式有哪些？

7. 什么是仿拟？仿拟有哪些类型？

8. 什么是反语？反语有哪些类型？

9. 什么是排比？

10. 什么是对偶？对偶有哪些类型？

二、练习题

指出下列句子或段落所使用的修辞格,并具体说明它们的修辞功能。

(1) 半公斤榜样,比一吨教训更值钱。

(2) 不写情词不写诗,一方素帕寄心知,心知接了颠倒看,横也丝来竖也丝。这般心事有谁知?

(3) 一个国家、一个民族,总要有一批心忧天下、勇于担当的人,总要有一批从容淡定、冷静思考的人,总要有一批刚直不阿、敢于直言的人。

(4) 他是懦夫上校,一个拿破仑帝国时代的军人,在荣誉和爱国观念上是个“老顽固”。

(5) 米醋酱油巧成三角,香软酥甜不费几何。

(6) 谎言是搁浅的鲨鱼,它可能会活蹦乱跳,看起来很吓人。但你只要静静地等,过不了多久它就死了。

(7) 要说渴,真有点儿渴,嗓子冒烟脸冒火,我能喝它一条江,我能喝它一条河。

(8) 不料来到夕佳楼下,却登不了楼,一把铁锁,锁住双扉,也锁住了游人的兴致。

(9) 这山峡,天晴的日子,也成天不见太阳;顺着弯曲的运输便道走去,随便你什么时候仰面看,只能看见巴掌大的一块天。

(10) 爱是一杯水,平凡中见真滋味;爱是一杯茶,有沁人心脾的芳香;爱是一杯咖啡,香浓味留转唇齿间;爱是一杯酒,浓烈的滋味留在心头。

(11) 细胞刀脊髓止痛术——让癌症患者“安乐活”。

(12) 一步登天为拙招,得寸进尺方有效。

(13) 揽天下名品,献人间真情。

(14) 三人行必有我师,三人行必有我鞋。

(15)“原来你家小栓碰到了这样的好运气了。这病自然一定全好;怪不得老栓整天的笑着呢。”花白胡子一面说,一面走到康大叔面前……

(16)在高原的土地上种下了一株株的树秧,也就是种下了一个个美好的希望。

(17)风过去了,只剩下直的雨道,扯天扯地地垂落,看不清一条条的,只是那么一片,一阵,地上射起无数的箭头,房屋上落下万千条瀑布。

(18)没有幽默感的人就像没有减震器的车,路上每块石子都让它左摇右晃。

(19)桃树、杏树、梨树,你不让我,我不让你,都开满了花赶趟儿。

(20)自行车下坡——不踩(睬)你。

【课程延伸内容】

一、补充辞格

(一)顶真

顶真又叫“联珠”,就是用前一句结尾的词语做后一句的开头,使前后语句首尾相连,上递下接的修辞方式。例如:

① 行为养成习惯,习惯形成品质,品质决定命运。

(魏书生)

② 世界上最大的是海洋,比海洋还大的是天空,比天空更大的是人的心灵。

(格言)

③ 从某种程度上来说,我们也靠天吃饭。天气好,我们的生意就好;生意好,我们的心情就好;心情一好,什么都好。

(王大进《纪念物》)

顶真在语言形式上匀称整齐,节奏鲜明,读起来语势畅达,情趣横生,能增添音乐美感。

(二) 回环

回环是利用同一词语或句子的顺序颠倒,构成一顺一反的往复语句,来表达事物之间的紧密联系,使之富于匀称美和音乐美。例如:

① 天上的月亮在水里,水里的月亮在天上。

(歌曲《月之故乡》)

② 喝酒不驾车,驾车不喝酒

(公益广告)

③ 开水不响,响水不开。

(谚语)

回环由于结构整齐匀称,语言干练,能产生强烈的节奏感,具有一种回环往复的音乐美。

(三) 层递

根据事物的逻辑关系,将三个或三个以上结构相似的词语或句子,按照事物的前后、大小、高低、轻重、深浅等顺序排列在一起,叫层递。例如:

① 注意某人,需要一分钟;喜欢某人,需要一小时;爱上某人,需要一天;忘记某人,需要一生。

(《羊城晚报》)

② 画匠用手作画;艺术家用手和脑作画;大师用手和脑通过心灵作画。

(《读者》)

③ 我知道地球在宇宙中的位置,中国在地球上的位置,我在中国的位置。

(邵燕祥《中国怎样面对挑战》)

例①②是递升,例③是递降。层递能使语意一环紧扣一环,步步深入,形成一种层次美。

层递与排比有相似之处,都是由三项或三项以上组成,但层递着眼于内容上的等级性,排比着眼于内容上的平列性;层递不强调结构上的相同或相似性，排比突出强调结构上的相同或相似性。

（四）对比

对比又叫对照，是指把两种不同事物或同一事物的两个不同的方面放在一起相互比较的一种修辞方式。例如：

① 天堂与地狱，只有一个字相隔，那就是爱。有爱的地方，就是温暖的天堂；无爱的地方，就是冰冷的地狱。

（马德《有句话常挂在嘴边》）

② 出了问题后，君子寻找补救的办法，小人寻找推卸责任的借口。

（《杂文月刊》）

③ 心小了，所有的小事就大了；心大了，所有的大事就小了。

（新浪博客）

对比将对立的两个事物或一个事物矛盾的两个方面加以对照，突出所要表现的方面，在鲜明的对比中，能够更加深刻地揭示事物的本质，表明作者的主观态度。

（五）映衬

为了突出主体事物，用相似、相反或者相关的事物做背景，去烘托、陪衬主体事物的修辞方式，叫映衬。也叫“衬托”。例如：

① 这天是个初冬的好天气，日头挺暖和，结下一层薄冰的冰河，有些地方冻化了，河水轻轻流着，声音像敲小锣鼓。

（康濯《我的两家房东》）

② 四顾只是茫茫一片，那样的平坦，连一个“坎儿井”也找不到，那样的纯然一色……又是那样的寂静，似乎只有热空气在作哄哄的火响。

（茅盾《风景谈》）

例①以美好的景物来正面衬托人物的快乐心情。例②茫茫沙漠无半点儿声响，但作者却巧妙地借助听觉上的错觉“哄哄的火响”来反衬主体沙漠的“寂静”。

恰当地运用衬托，可以使主次分明，使需要表达的主题更鲜明，更突出。

映衬与对比不同,映衬的主体事物和衬托事物之间有主次之分;对比是两事物之间的相互比较,没有主次之分。

(六) 通感

通感就是通过联想,将适用于描写甲类感官上的词语巧妙地用于描写乙类感官,使听觉、视觉、嗅觉、触觉、味觉等各种感官彼此相通的一种修辞格。由于感官发生了转移,所以这种修辞格又叫移觉。例如:

① 突然是绿茸茸草坂,像一支充满幽情的乐曲……(由视觉移向听觉)

(刘白羽《长江三日》)

② 每逢看到蜜蜂,感情上疙疙瘩瘩的,总不怎么舒服。(由视觉移向触觉)

(杨朔《荔枝蜜》)

③ 女子们朗朗的笑声,像水上的波纹,在工地的上空荡漾开去。(由听觉移向视觉)

(魏钢焰《绿叶赞》)

④ 她的声音像蜜,听着甜滋滋的。(由听觉移向味觉)

(李叔德《赔你一只金凤凰》)

⑤ 微风过处,送来了缕缕清香,仿佛远处高楼上渺茫的歌声似的。(由嗅觉移向听觉)

(朱自清《荷塘月色》)

恰当地运用通感,让各种感官互相沟通,由一种感觉移向另一种感觉,从而引发人们的联想,从不同角度去抒情状物,既能使描述的事物更具可感性,又能增添表情达意的审美情趣。

通感常常借助比喻、比拟等修辞方式来表达,但通感和比喻又有很大区别,比喻重在“喻”,本体和喻体属于同一感官感受到的事物,通感重在“移”,由一种感觉移向另一种感觉,把二者沟通起来,让人们体会其中的微妙。

二、辞格的综合运用

一个句子或一段话中同时出现两种或两种以上的辞格，就是辞格的综合运用，主要有叠用、连用、套用三种情况。

（一）辞格的叠用

两种或两种以上的辞格交织在一起，互相重叠，融为一体。例如：

① 先天下之忧而忧，后天下之乐而乐。

② 智者千虑，必有一失；愚者千虑，必有一得。

例①②是对偶与对比的叠用。

③ 她们从小跟这船打交道，驶起来，就像织布穿梭，缝衣透针一般快。

（孙犁《荷花淀》）

例③是比喻和夸张的叠用。

④ 穷人戴钻石，人家以为是玻璃；富人戴玻璃，人家以为是钻石——世俗眼光。

（人人网）

例④是对比、对偶和回环的叠用。

辞格叠用可以从“横看成岭侧成峰，远近高低各不同”这一诗句中得到解释，从这个角度看是一种辞格，从另一角度看又是一种辞格。叠用可使具有不同修辞效果的多种辞格叠加在一起共同起作用，能大大增添语言表达的文采和感染力。

（二）辞格的连用

在一段话中，前后接连出现几个辞格，这几个辞格平等并列，互相补充。

辞格的连用有的是同类辞格连用。例如：

① 我静静地坐在书桌前面。回忆凝成一块铁，重重地压在我的头上；思念细得像一根针，不断地刺着我的心；血像一层雾在我的想像中升上来，现在连电灯光也带上猩猩的颜色。

（《巴金小说精编》）

例①第二、三、四句都是比喻,它们是同类辞格的连用。

有的是异类辞格连用。例如:

② 不要像蒲公英一样,等待那一阵风,风或许会把你吹到肥沃的土地,但更多的是岩石、河水,我们要主宰自己,好好把握现在,把翅膀练硬了,才有飞翔的那天。

(《广州日报》)

例②先后用了比喻和比拟两个辞格。

同类辞格连用可以增强同一辞格的表达效果。异类辞格连用,可以丰富所要表达的思想内容,使语言形式显得多姿多彩。

(三) 辞格的套用

辞格的套用是指一种辞格中又包含着其他辞格,形成甲辞格套乙辞格的包容关系。例如:

秋天了,成熟的果实却低下了头。它不是在孤芳自赏,也不是在自我陶醉,更不是在哀泣自己将跌落枝头。它是在想:我是怎样成熟的呢?

(刘增山《秋魂》)

上例从总体来看,使用了拟人的手法,但拟人中又包含排比的手法。

辞格套用,使甲辞格有所增补,乙辞格有所借助,二者相互照应陪衬,相得益彰。

(四) 叠用、连用、套用相互之间的并用

实际的语言运用中,修辞格的综合运用形式还有更为多样、更为复杂的。例如:

① 勤奋是点燃智慧的火花,懒惰是埋葬天才的坟墓。

例①是对比、对偶叠用,里面又包含两个比喻。

② 叶子出水很高,像亭亭的舞女的裙。层层的叶子中间,零星地点缀着些白花,有袅娜地开着的,有羞涩地打着朵儿的;正如一粒粒明珠,又如碧天里的星星,又如刚出浴的美人。

(朱自清《荷塘月色》)

例②连用了比喻、比拟和排比三种辞格，排比内部又包含了三个连用的比喻。

③ 有的石头像莲花瓣，有的像大象头，有的像老人，有的像卧虎，有的错落成桥，有的兀立如柱，有的侧身探海，有的怒目相向。

（李健吾《雨中登泰山》）

例③总体看是个排比，排比里面包含了六个连用的比喻和两个连用的比拟。

思考与讨论

1. 用顶真、回环、层递、对比、映衬、通感六种辞格各造一句。
2. 尝试分别写出辞格叠用、连用、套用的句子。

第六节　语体

语体是在语言使用过程中，因交际领域、内容、方式、目的、对象的不同，逐渐形成的言语体式，这些言语体式各自具有一系列相对稳定的语言运用特点。

语体不同于文体。语体是一种言语体式，文体是文章的体裁、体制或样式。语体是一种语言运用现象，属语言学的范畴；文体属文章学或文学的研究范围。语体有口语形式和书面形式；文体则仅指书面形式。

语体主要有谈话语体、公文语体、科技语体、文艺语体等。

一、谈话语体

谈话语体主要用于日常交际。谈话语体的修辞特征是通俗、明晰、简约、生动。

谈话语体的语言运用特点具体表现在以下几方面：

1. 充分利用各种语音修辞手段。语调、语速、重音、停延、节奏、重复、摹声等都是谈话语体经常利用的语音修辞手段。这是其他语体比较少有的修辞特征。

2. 大量使用带有主观色彩和形象色彩的词语。带有主观色彩的词语如褒义词、贬义词、儿化词、计人量词(位、帮、伙、撮)、叹词、副词、委婉语、称呼语、部分熟语等。带有形象色彩的词语如“蓝天、绿水、蜂窝煤、水蛇腰、月牙泉、乒乓球、马后炮、下马威、大锅饭、豆腐渣工程”等。

3. 大量使用非主谓句或者省略句;多用单句,少用复句;句子短小,结构简单,修饰成分少。

4. 主要使用通俗易懂的修辞格。常用的有比喻、拟人、借代、夸张、双关、反语等。

5. 大量借助肢体、神态等辅助手段来表情达意。这是谈话语体的显著特征,其他语体很少使用。

二、公文语体

公文语体也称事务语体,主要用来处理国家机关、社会团体之间的行政或工作事务以及机关团体与社会成员、社会成员之间的事务,包括各种行政公文文体(如通知、请示、公告),各种法规制度文体(如条例、守则),各种资料性文体(如纪要、备忘录),其他事务文体(如合同、启事)。

公文语体的修辞特征是准确、规范、简明、庄重。公文语体的用字要符合国家规定的用字法规,用词要用规范的普通话词汇,造句要符合现代汉语语法规范,内容表达要简洁扼要,行文要端庄严肃、平稳持重。

公文语体的语言运用特点具体表现在以下几方面:

1. 大量使用专有的公文语体词。公文语体有一批相对固定专用的词语,如文种用语“公告、公报、通告、通报、通知、报告、指示、请示、批复”等;起始用语“自、为、关于、鉴于、根据、遵照、兹将、兹定于”等;结尾用语“此复、此致、当否、妥否、请批示、请批复”等;经办用语“试行、暂行、公布、发布、抄送、抄报、转发”等;表态用语“应须、严禁、准予、参照执行、颁布实施”等;称谓用语“我、本、该、你、贵、尊”等。这是公文语体的显著特征。

2. 大量使用“的”字短语、介词短语和联合短语。“的”字短语常在公文语体中做主语,也常用于公文语体的条款列项中。如:“有下列情形之一的,护照持有人可以按照规定申请换发或者补发护照:(一)护照有效期即将届满的;(二)护照签证页即将使用完毕的;(三)护照损毁不能使用的;(四)护照遗失或者被盗的。”介词短语在公文语体中多充当句子的状语和定语,且常用于标题和文章的起始部分,起明确目的、确定依据和限定范围的作用。联合短语可以使表意更加周密,因此在公文语体中大量使用。

3. 大量使用陈述句和祈使句,结构上则表现为多使用动词性非主谓句。如“本宪法以法律的形式确认了中国各族人民奋斗的成果,规定了国家的根本制度和根本任务,是国家的根本法,具有最高的法律效力”“对于涉及国家机密的证据,应当保密”“要安排衔接好产区和销区之间的粮食购销,认真执行粮食调运计划”“禁止破坏婚姻自由,禁止虐待老人、妇女和儿童”等,均为陈述句和祈使句。公文语体的内容多是法律条文、规范守则、约定须知,具有强制力,其执行者和遵循者多不言自明,因此在结构上才会经常使用动词性非主谓句。

4. 较少使用修辞格。公文语体虽然不完全排斥修辞格的使用,但相对其他语体而言,修辞格的使用频率要小得多。

5. 篇章结构程式化。公文语体在长期的使用过程中,根据使用场合的不同形成一些固定的格式,如规章制度、通告、通知、合同、介绍信、借据、证明、聘书等都有其固定格式。

三、科技语体

科技语体也称科学语体,主要用于科学技术领域。科技语体可再分为专门科技语体和通俗科技语体,前者面向专业人士,后者面向非专业人士。

专门科技语体的修辞特征是精确、严谨,排斥带有感情色彩的表达。

专门科技语体的语言运用特点具体表现在以下几方面。

1. 大量使用科技术语、外来词、国际通用词。科技术语具有表意的专一性和精确性,不带有主观感情色彩。科技术语很多是外来词,其中不少是国际通用词。这是专门科技语体的显著特征。

2. 句子的选用比较单一。句类上大量使用陈述句,句型上多使用主谓句。多用长句,句子结构复杂,大量使用限定性定语,介词短语做状语、定语的频率比较高。多用复句,注重关联词语的使用,较少省略关联词语。

3. 很少使用修辞格。专门科技语体不追求语言的艺术化表达,只需要准确的语言,因此在具有积极表达效果的修辞格的使用上比公文语体还要严格,只会偶尔使用到比喻(主要是明喻)等个别修辞格。

4. 篇章结构规范化。专门科技语体的篇章结构通常为:标题、作者、提要、关键词、引言、正文、结论、致谢、注释、参考文献等,有特定的规范,便于学习、写作、贮存、查寻等。

通俗科技语体面向广大的非专业人士,它的修辞特征是通俗、明快。多用日常口语的方式把科技术语的内容通俗地表达出来,句式上比较灵活多变。为增加读者的兴趣,会适当地使用比喻、比拟、对偶、排比等修辞格。但在严谨、科学、客观等方面,通俗科技语体与专门科技语体的修辞特征大体一致。

四、文艺语体

文艺语体,主要用于文学艺术创作领域。文艺语体包括文艺作品的各种文体,可归纳为散文体、韵文体和戏剧体三类。

文艺语体的修辞特征是突出形象感,注重情感和美感的表达、渲染。

文艺语体的语言运用特点具体表现在以下几方面。

1. 充分利用语音、词汇的修辞功能。押韵、双声叠韵、谐音双关、谐音仿词、平仄相间等,是文艺语体中常用的语音修辞手段。利用词语的联想义、引申义、比喻义、感情色彩、形象色彩、风格色彩等来传递丰富的情感内涵,这也是文艺语体在词语使用方面与其他语体显著不同的地方。

2. 句子形式灵活多样,不拘一格。根据具体的情境,句子可长可短,可整可散,可按常规组织,也可变化使用;可陈述、祈使,也可发问、感叹。这是文艺语体在句子使用方面与其他语体明显不同的地方。

3. 灵活使用各种修辞格。修辞格在文艺语体中没有任何使用限制，并且新的修辞格也多在文艺语体中产生。

4. 语言风格丰富多样。文艺语体不仅有时代风格、地域风格、作家作品个人风格的不同，在表现风格上也是多种多样，或繁丰或简约，或豪放或柔婉，或朴实或藻丽，或明快或蕴藉，等等。

复习与练习（六）

一、复习题

1. 什么是语体？语体和文体有什么不同？

2. 各种语体都有什么样的修辞特征？

3. 各种语体的语言运用特点具体表现在哪些方面？

二、练习题

1. 从语体的角度分析下面改句的合理性。

（1）原句：吴妈此后倘有不测，应由阿Q负责。

改句：吴妈此后倘有不测，惟阿Q是问。

（鲁迅小说《阿Q正传》中，阿Q订立的五条约）

（2）原句：小草看蜜蜂去了，心里还是切切念着他；不知道医生给他诊治能否速效……

改句：小草看蜜蜂飞走了，心里还是很惦记着它；不知能不能快治好……

（叶圣陶童话《含羞草》）

（3）原句：张宗礼怕出险，放平车子时，叫放一点钟五公里的速度。

改句：张宗礼怕出险，放平车时，叫慢着点。

（杨朔小说《北黑线》）

（4）原句：我的确是有点怨哀，但我的怨哀并不是怕和你别离，乃是恨我自己身非男子。

改句：我的确是有点悲哀，但我悲哀的不是怕和你别离，我悲哀的是我不是男子。

（郭沫若话剧《棠棣之花》）

2. 根据括号中所示语体的修辞要求,修改下列句子。

(1) 自从青海玉树地区发生地震灾害以来,我市各界对灾区人民生活甚是关心,积极开展赈灾活动,捐款(包括实物折款)累计已逾百万之巨。(广播稿)

(2) 我校教室共有八间,有五间正处于风雨飘摇之中,东倒西歪,朝不保夕,十分危险,迫切希望教委伸出援助之手,拨款修整为荷。(某校给教育局的请示)

3. 对比下面两个段落,分析它们的语体归属和修辞特点。

(1) 然而,枝繁叶茂的满园绿色,却仅有零零落落的几处浅红、几点粉白。一丛丛半人高的牡丹植株之上,昂然挺起千头万头硕大饱满的牡丹花苞,个个形同仙桃,却是朱唇紧闭,洁齿轻咬,薄薄的花瓣层层相裹,透出一副傲慢的冷色,绝无开花的意思。偌大的一个牡丹王国,竟然是一片黯淡萧瑟的灰绿……

(2) 牡丹为多年生落叶小灌木,生长缓慢,株型小,株高多在0.5～2米之间;根肉质,粗而长,中心木质化,长度一般在0.5～0.8米,极少数根长度可达2米。叶子有柄,羽状复叶,小叶卵形或长椭圆形,花大,单生,通常深红、粉红或白色,是著名的观赏植物。

附录一　标点符号用法

（中华人民共和国国家标准 GB/T 15834—2011，由国家质量监督检验检疫总局和国家标准化管理委员会 2011 年 12 月 30 日发布，2012 年 6 月 1 日实施）

1. 范围

本标准规定了现代汉语标点符号的用法。

本标准适用于汉语的书面语（包括汉语和外语混合排版时的汉语部分）。

2. 术语和定义

下列术语和定义适用于本文件。

2.1 标点符号　punctuation

辅助文字记录语言的符号，是书面语的有机组成部分，用来表示语句的停顿、语气以及标示某些成分（主要是词语）的特定性质和作用。

注：数学符号、货币符号、校勘符号、辞书符号、注音符号等特殊领域的专门符号不属于标点符号。

2.2 句子　sentence

前后都有较大停顿、带有一定的语气和语调、表达相对完整意义的语言单位。

2.3 复句　complex sentence

由两个或多个在意义上有密切关系的分句组成的语言单位，包括简单复句（内部只有一层语义关系）和多重复句（内部包含多层语义关系）。

2.4 分句　clause

复句内两个或多个前后有停顿、表达相对完整意义、不带有句末语气和语调、有的前面可添加关联词语的语言单位。

2.5 语段　expression

指语言片段，是对各种语言单位（如词、短语、句子、复句等）不做特别区分时的统称。

3. 标点符号的种类

3.1 点号

点号的作用是点断,主要表示停顿和语气。分为句末点号和句内点号。

3.1.1 句末点号

用于句末的点号,表示句末停顿和句子的语气。包括句号、问号、叹号。

3.1.2 句内点号

用于句内的点号,表示句内各种不同性质的停顿。包括逗号、顿号、分号、冒号。

3.2 标号

标号的作用是标明,主要标示某些成分(主要是词语)的特定性质和作用。包括引号、括号、破折号、省略号、着重号、连接号、间隔号、书名号、专名号、分隔号。

4. 标点符号的定义、形式和用法

4.1 句号

4.1.1 定义

句末点号的一种,主要表示句子的陈述语气。

4.1.2 形式

句号的形式是"。"。

4.1.3 基本用法

4.1.3.1 用于句子末尾,表示陈述语气。使用句号主要根据语段前后有较大停顿、带有陈述语气和语调,并不取决于句子的长短。

示例1:北京是中华人民共和国的首都。

示例2:(甲:咱们走着去吧?)乙:好。

4.1.3.2 有时也可表示较缓和的祈使语气和感叹语气。

示例1:请您稍等一下。

示例2:我不由地感到,这些普通劳动者也同样是很值得尊敬的。

4.2 问号

4.2.1 定义

句末点号的一种，主要表示句子的疑问语气。

4.2.2 形式

问号的形式是“？”。

4.2.3 基本用法

4.2.3.1 用于句子末尾，表示疑问语气（包括反问、设问等疑问类型）。使用问号主要根据语段前后有较大停顿、带有疑问语气和语调，并不取决于句子的长短。

示例1：你怎么还不回家去呢？

示例2：难道这些普通的战士不值得歌颂吗？

示例3：（一个外国人，不远万里来到中国，帮助中国的抗日战争。）这是什么精神？这是国际主义的精神。

4.2.3.2 选择问句中，通常只在最后一个选项的末尾用问号，各个选项之间一般用逗号隔开。当选项较短且选项之间几乎没有停顿时，选项之间可不用逗号。当选项较多或较长，或有意突出每个选项的独立性时，也可每个选项之后都用问号。

示例1：诗中记述的这场战争究竟是真实的历史描述，还是诗人的虚构？

示例2：这是巧合还是有意安排？

示例3：要一个什么样的结尾：现实主义的？传统的？大团圆的？荒诞的？民族形式的？有象征意义的？

示例4：（他看着我的作品称赞了我。）但到底是称赞我什么：是有几处画得好？还是什么都敢画？抑或只是一种对于失败者的无可奈何的安慰？我不得而知。

示例5：这一切都是由客观的条件造成的？还是由行为的惯性造成的？

4.2.3.3 在多个问句连用或表达疑问语气加重时，可叠用问号。通常应先单用，再叠用，最多叠用三个问号。在没有异常强烈的情感表达需要时不宜叠用问号。

示例：这就是你的做法吗？你这个总经理是怎么当的？？你怎么

竟敢这样欺骗消费者???

4.2.3.4 问号也有标号的用法,即用于句内,表示存疑或不详。

示例1:马致远(1250? —1321),大都人,元代戏曲家、散曲家。

示例2:钟嵘(? —518),颍川长社人,南朝梁代文学批评家。

示例3:出现这样的文字错误,说明作者(编者? 校者?)很不认真。

4.3 叹号

4.3.1 定义

句末点号的一种,主要表示句子的感叹语气。

4.3.2 形式

叹号的形式是"!"。

4.3.3 基本用法

4.3.3.1 用于句子末尾,主要表示感叹语气,有时也可表示强烈的祈使语气、反问语气等。使用叹号主要根据语段前后有较大停顿、带有感叹语气和语调或带有强烈的祈使、反问语气和语调,并不取决于句子的长短。

示例1:才一年不见,这孩子都长这么高啦!

示例2:你给我住嘴!

示例3:谁知道他今天是怎么搞的!

4.3.3.2 用于拟声词后,表示声音短促或突然。

示例1:咔嚓! 一道闪电划破了夜空。

示例2:咚! 咚咚! 突然传来一阵急促的敲门声。

4.3.3.3 表示声音巨大或声音不断加大时,可叠用叹号;表达强烈语气时,也可叠用叹号,最多叠用三个叹号。在没有异常强烈的情感表达需要时不宜叠用叹号。

示例1:轰!! 在这天崩地塌的声音中,女娲猛然醒来。

示例2:我要揭露! 我要控诉!! 我要以死抗争!!!

4.3.3.4 当句子包含疑问、感叹两种语气且都比较强烈时(如带有强烈感情的反问句和带有惊愕语气的疑问句),可在问号后再加叹号(问号、叹号各一)。

示例 1:这么点困难就能把我们吓倒吗?!

示例 2:他连这些最起码的常识都不懂,还敢说自己是高科技人材?!

4.4 逗号

4.4.1 定义

句内点号的一种,表示句子或语段内部的一般性停顿。

4.4.2 形式

逗号的形式是“,”。

4.4.3 基本用法

4.4.3.1 复句内各分句之间的停顿,除了有时用分号(见 4.6.3.1),一般都用逗号。

示例 1:不是人们的意识决定人们的存在,而是人们的社会存在决定人们的意识。

示例 2:学历史使人更明智,学文学使人更聪慧,学数学使人更精细,学考古使人更深沉。

示例 3:要是不相信我们的理论能反映现实,要是不相信我们的世界有内在和谐,那就不可能有科学。

4.4.3.2 用于下列各种语法位置:

a) 较长的主语之后。

示例 1:苏州园林建筑各种门窗的精美设计和雕镂功夫,都令人叹为观止。

b) 句首的状语之后。

示例 2:在苍茫的大海上,狂风卷集着乌云。

c) 较长的宾语之前。

示例 3:有的考古工作者认为,南方古猿生存于上新世至更新世的初期和中期。

d) 带句内语气词的主语(或其他成分)之后,或带句内语气词的并列成分之间。

示例 4:他呢,倒是很乐意地、全神贯注地干起来了。

示例5:(那是个没有月亮的夜晚。)可是整个村子——白房顶啦,白树木啦,雪堆啦,全看得见。

e) 较长的主语中间、谓语中间或宾语中间。

示例6:母亲沉痛的诉说,以及亲眼见到的事实,都启发了我幼年时期追求真理的思想。

示例7:那姑娘头戴一顶草帽,身穿一条绿色的裙子,腰间还系着一根橙色的腰带。

示例8:必须懂得,对于文化传统,既不能不分青红皂白统统抛弃,也不能不管精华糟粕全盘继承。

f) 前置的谓语之后或后置的状语、定语之前。

示例9:真美啊,这条蜿蜒的林间小路。

示例10:她吃力地站了起来,慢慢地。

示例11:我只是一个人,孤孤单单的。

4.4.3.3 用于下列各种停顿处:

a) 复指成分或插说成分前后。

示例1:老张,就是原来的办公室主任,上星期已经调走了。

示例2:车,不用说,当然是头等。

b) 语气缓和的感叹语、称谓语或呼唤语之后。

示例3:哎哟,这儿,快给我揉揉。

示例4:大娘,您到哪儿去啊?

示例5:喂,你是哪个单位的?

c) 某些序次语("第"字头、"其"字头及"首先"类序次语)之后。

示例6:为什么许多人都有长不大的感觉呢?原因有三:第一,父母总认为自己比孩子成熟;第二,父母总要以自己的标准来衡量孩子;第三,父母出于爱心而总不想让孩子在成长的过程中走弯路。

示例7:《玄秘塔碑》所以成为书法的范本,不外乎以下几方面的因素:其一,具有楷书点画、构体的典范性;其二,承上启下,成为唐楷的极致;其三,字如其人,爱人及字,柳公权高尚的书品、人品为后人所崇仰。

示例8：下面从三个方面讲讲语言的污染问题：首先，是特殊语言环境中的语言污染问题；其次，是滥用缩略语引起的语言污染问题；再次，是空话和废话引起的语言污染问题。

4.5 顿号

4.5.1 定义

句内点号的一种，表示语段中并列词语之间或某些序次语之后的停顿。

4.5.2 形式

顿号的形式是"、"。

4.5.3 基本用法

4.5.3.1 用于并列词语之间。

示例1：这里有自由、民主、平等、开放的风气和氛围。

示例2：造型科学、技艺精湛、气韵生动，是盛唐石雕的特色。

4.5.3.2 用于需要停顿的重复词语之间。

示例：他几次三番、几次三番地辩解着。

4.5.3.3 用于某些序次语（不带括号的汉字数字或"天干地支"类序次语）之后。

示例1：我准备讲两个问题：一、逻辑学是什么？二、怎样学好逻辑学？

示例2：风格的具体内容主要有以下四点：甲、题材；乙、用字；丙、表达；丁、色彩。

4.5.3.4 相邻或相近两数字连用表示概数通常不用顿号。若相邻两数字连用为缩略形式，宜用顿号。

示例1：飞机在6000米高空水平飞行时，只能看到两侧八九公里和前方一二十公里范围内的地面。

示例2：这种凶猛的动物常常三五成群地外出觅食和活动。

示例3：农业是国民经济的基础，也是二、三产业的基础。

4.5.3.5 标有引号的并列成分之间、标有书名号的并列成分之间通常不用顿号。若有其他成分插在并列的引号之间或并列的书名号之间（如引语或书名号之后还有括注），宜用顿号。

示例 1:“日”“月”构成“明”字。

示例 2:店里挂着“顾客就是上帝”“质量就是生命”等横幅。

示例 3:《红楼梦》《三国演义》《西游记》《水浒传》,是我国长篇小说的四大名著。

示例 4:李白的“白发三千丈”(《秋浦歌》)、“朝如青丝暮成雪”(《将进酒》)都是脍炙人口的诗句。

示例 5:办公室里订有《人民日报》(海外版)、《光明日报》和《时代周刊》等报刊。

4.6 分号

4.6.1 定义

句内点号的一种,表示复句内部并列关系分句之间的停顿,以及非并列关系的多重复句中第一层分句之间的停顿。

4.6.2 形式

分号的形式是“;”。

4.6.3 基本用法

4.6.3.1 表示复句内部并列关系的分句(尤其当分句内部还有逗号时)之间的停顿。

示例 1:语言文字的学习,就理解方面说,是得到一种知识;就运用方面说,是养成一种习惯。

示例 2:内容有分量,尽管文章短小,也是有分量的;内容没有分量,即使写得再长也没有用。

4.6.3.2 表示非并列关系的多重复句中第一层分句(主要是选择、转折等关系)之间的停顿。

示例 1:人还没看见,已经先听见歌声了;或者人已经转过山头望不见了,歌声还余音袅袅。

示例 2:尽管人民革命的力量在开始时总是弱小的,所以总是受压的;但是由于革命的力量代表历史发展的方向,因此本质上又是不可战胜的。

示例 3:不管一个人如何伟大,也总是生活在一定的环境和条件下;因此,个人的见解总难免带有某种局限性。

示例 4:昨天夜里下了一场雨,以为可以凉快些;谁知没有凉快下来，反而更热了。

4.6.3.3 用于分项列举的各项之间。

示例：特聘教授的岗位职责为：一、讲授本学科的主干基础课程；二、主持本学科的重大科研项目；三、领导本学科的学术队伍建设；四、带领本学科赶超或保持世界先进水平。

4.7 冒号

4.7.1 定义

句内点号的一种，表示语段中提示下文或总结上文的停顿。

4.7.2 形式

冒号的形式是“：”。

4.7.3 基本用法

4.7.3.1 用于总说性或提示性词语（如“说”“例如”“证明”等）之后，表示提示下文。

示例1：北京紫禁城有四座城门：午门、神武门、东华门和西华门。

示例2：他高兴地说：“咱们去好好庆祝一下吧！”

示例3：小王笑着点了点头：“我就是这么想的。”

示例4：这一事实证明：人能创造环境，环境同样也能创造人。

4.7.3.2 表示总结上文。

示例：张华上了大学，李萍进了技校，我当了工人：我们都有美好的前途。

4.7.3.3 用在需要说明的词语之后，表示注释和说明。

示例1：（本市将举办首届大型书市。）主办单位：市文化局；承办单位：市图书进出口公司；时间：8月15日—20日；地点：市体育馆观众休息厅。

示例2：（做阅读理解题有两个办法。）办法之一：先读题干，再读原文，带着问题有针对性地读课文。办法之二：直接读原文，读完再做题，减少先入为主的干扰。

4.7.3.4 用于书信、讲话稿中称谓语或称呼语之后。

示例1：广平先生：……

示例2:同志们、朋友们:……

4.7.3.5 一个句子内部一般不应套用冒号。在列举式或条文式表述中,如不得不套用冒号时,宜另起段落来显示各个层次。

示例:第十条 遗产按照下列顺序继承:
　　第一顺序:配偶、子女、父母。
　　第二顺序:兄弟姐妹、祖父母、外祖父母。

4.8 引号

4.8.1 定义

标号的一种,标示语段中直接引用的内容或需要特别指出的成分。

4.8.2 形式

引号的形式有双引号"“ ”"和单引号"‘ ’"两种。左侧的为前引号,右侧的为后引号。

4.8.3 基本用法

4.8.3.1 标示语段中直接引用的内容。

示例:李白诗中就有“白发三千丈”这样极尽夸张的语句。

4.8.3.2 标示需要着重论述或强调的内容。

示例:这里所谓的“文”,并不是指文字,而是指文采。

4.8.3.3 标示语段中具有特殊含义而需要特别指出的成分,如别称、简称、反语等。

示例1:电视被称作“第九艺术”。
示例2:人类学上常把古人化石统称为尼安德特人,简称“尼人”。
示例3:有几个“慈祥”的老板把捡来的菜叶用盐浸浸就算作工友的菜肴。

4.8.3.4 当引号中还需要使用引号时,外面一层用双引号,里面一层用单引号。

示例:他问:“老师,‘七月流火’是什么意思?”

4.8.3.5 独立成段的引文如果只有一段,段首和段尾都用引号;不止一段时,每段开头仅用前引号,只在最后一段末尾用后引号。

示例:我曾在报纸上看到有人这样谈幸福:

“幸福是知道自己喜欢什么和不喜欢什么。……

“幸福是知道自己擅长什么和不擅长什么。……

“幸福是在正确的时间做了正确的选择。……”

4.8.3.6 在书写带月、日的事件、节日或其他特定意义的短语(含简称)时,通常只标引其中的月和日;需要突出和强调该事件或节日本身时,也可连同事件和节日一起标引。

示例1:“5·12”汶川大地震

示例2:“五四”以来的话剧,是我国戏剧中的新形式。

示例3:纪念“五四运动”90周年

4.9 括号

4.9.1 定义

标号的一种,标示语段中的注释内容、补充说明或其他特定意义的语句。

4.9.2 形式

括号的主要形式是圆括号“(　)”,其他形式还有方括号“[　]”、六角括号“〔　〕”和方头括号“【　】”等。

4.9.3 基本用法

4.9.3.1 标示下列各种情况,均用圆括号:

a) 标示注释内容或补充说明。

示例1:我校拥有特级教师(含已退休的)17人。

示例2:我们不但善于破坏一个旧世界,我们还将善于建设一个新世界!(热烈鼓掌)

b) 标示订正或补加的文字。

示例3:信纸上用稚嫩的字体写着:“阿夷(姨),你好!”。

示例4:该建筑公司负责的建设工程全部达到优良工程(的标准)。

c) 标示序次语。

示例5:语言有三个要素:(1)声音;(2)结构;(3)意义。

示例6:思想有三个条件:(一)事理;(二)心理;(三)伦理。

d) 标示引语的出处。

示例7:他说得好:"未画之前,不立一格;既画之后,不留一格。"(《板桥集·题画》)

e) 标示汉语拼音注音。

示例8:"的(de)"这个字在现代汉语中最常用。

4.9.3.2 标示作者国籍或所属朝代时,可用方括号或六角括号。

示例1:[英]赫胥黎《进化论与伦理学》
示例2:〔唐〕杜甫著

4.9.3.3 报刊标示电讯、报道的开头,可用方头括号。

示例:【新华社南京消息】

4.9.3.4 标示公文发文字号中的发文年份时,可用六角括号。

示例:国发〔2011〕3号文件

4.9.3.5 标示被注释的词语时,可用六角括号或方头括号。

示例1:〔奇观〕奇伟的景象。
示例2:【爱因斯坦】物理学家。生于德国,1933年因受纳粹政权迫害,移居美国。

4.9.3.6 除科技书刊中的数学、逻辑公式外,所有括号(特别是同一形式的括号)应尽量避免套用。必须套用括号时,宜采用不同的括号形式配合使用。

示例:〔茸(róng)毛〕很细很细的毛。

4.10 破折号

4.10.1 定义

标号的一种,标示语段中某些成分的注释、补充说明或语音、意义的变化。

4.10.2 形式

破折号的形式是"——"。

4.10.3 基本用法

4.10.3.1 标示注释内容或补充说明(也可用括号,见4.9.3.1;二者的区别另见B.1.7)。

示例1：一个矮小而结实的日本中年人——内山老板走了过来。

示例2：我一直坚持读书，想借此唤起弟妹对生活的希望——无论环境多么困难。

4.10.3.2 标示插入语（也可用逗号，见4.4.3.3）。

示例：这简直就是——说得不客气点——无耻的勾当！

4.10.3.3 标示总结上文或提示下文（也可用冒号，见4.7.3.1、4.7.3.2）。

示例1：坚强，纯洁，严于律己，客观公正——这一切都难得地集中在一个人的身上。

示例2：画家开始娓娓道来——

数年前的一个寒冬，……

4.10.3.4 标示话题的转换。

示例："好香的干菜，——听到风声了吗？"赵七爷低声说道。

4.10.3.5 标示声音的延长。

示例："嘎——"传过来一声水禽被惊动的鸣叫。

4.10.3.6 标示话语的中断或间隔。

示例1："班长他牺——"小马话没说完就大哭起来。

示例2："亲爱的妈妈，你不知道我多爱您。——还有你，我的孩子！"

4.10.3.7 标示引出对话。

示例：——你长大后想成为科学家吗？

——当然想了！

4.10.3.8 标示事项列举分承。

示例：根据研究对象的不同，环境物理学分为以下五个分支学科：

——环境声学；

——环境光学；

——环境热学；

——环境电磁学；

——环境空气动力学。

4.10.3.9 用于副标题之前。

示例:飞向太平洋

——我国新型号运载火箭发射目击记

4.10.3.10 用于引文、注文后,标示作者、出处或注释者。

示例1:先天下之忧而忧,后天下之乐而乐。

——范仲淹

示例2:乐浪海中有倭人,分为百余国。

——《汉书》

示例3:很多人写好信后把信笺折成方胜形,我看大可不必。(方胜,指古代妇女戴的方形首饰,用彩绸等制作,由两个斜方部分叠合而成。——编者注)

4.11 省略号

4.11.1 定义

标号的一种,标示语段中某些内容的省略及意义的断续等。

4.11.2 形式

省略号的形式是"……"。

4.11.3 基本用法

4.11.3.1 标示引文的省略。

示例:我们齐声朗诵起来:"……俱往矣,数风流人物,还看今朝。"

4.11.3.2 标示列举或重复词语的省略。

示例1:对政治的敏感,对生活的敏感,对性格的敏感,……这都是作家必须要有的素质。

示例2:他气得连声说:"好,好……算我没说。"

4.11.3.3 标示语意未尽。

示例1:在人迹罕至的深山密林里,假如突然看见一缕炊烟,……

示例2:你这样干,未免太……!

4.11.3.4 标示说话时断断续续。

示例:她磕磕巴巴地说:"可是……太太……我不知道……你一定是认错了。"

4.11.3.5 标示对话中的沉默不语。

示例："还没结婚吧？"

"……"他飞红了脸，更加忸怩起来。

4.11.3.6 标示特定的成分虚缺。

示例：只要……就……

4.11.3.7 在标示诗行、段落的省略时，可连用两个省略号（即相当于十二连点）。

示例1：从隔壁房间传来缓缓而抑扬顿挫的吟咏声——

床前明月光，疑是地上霜。

…………

示例2：该刊根据工作质量、上稿数量、参与程度等方面的表现，评选出了高校十佳记者站。还根据发稿数量、提供新闻线索情况以及对刊物的关注度等，评选出了十佳通讯员。

…………

4.12 着重号

4.12.1 定义

标号的一种，标示语段中某些重要的或需要指明的文字。

4.12.2 形式

着重号的形式是"."标注在相应文字的下方。

4.12.3 基本用法

4.12.3.1 标示语段中重要的文字。

示例1：诗人需要表现，而不是证明。

示例2：下面对文本的理解，不正确的一项是：……

4.12.3.2 标示语段中需要指明的文字。

示例：下边加点的字，除了在词中的读法外，还有哪些读法？

着急　　子弹　　强调

4.13 连接号

4.13.1 定义

标号的一种,标示某些相关联成分之间的连接。

4.13.2 形式

连接号的形式有短横线“-”、一字线“—”和浪纹线“～”三种。

4.13.3 基本用法

4.13.3.1 标示下列各种情况,均用短横线:

a) 化合物的名称和表格、插图的编号。

示例1:3-戊酮为无色液体,对眼及皮肤有强烈刺激性。

示例2:参见下页表2-8、表2-9。

b) 连接号码,包括门牌号码、电话号码,以及用阿拉伯数字表示年月日等。

示例3:安宁里东路26号院3-2-11室

示例4:联系电话:010-88842603

示例5:2011-02-15

c) 在复合名词中起连接作用。

示例6:吐鲁番-哈密盆地

d) 某些产品的名称和型号。

示例7:WZ-10直升机具有复杂天气和夜间作战的能力。

e) 汉语拼音、外来语内部的分合。

示例8:shuōshuō-xiàoxiào(说说笑笑)

示例9:盎格鲁-撒克逊人

示例10:让-雅克・卢梭(“让-雅克”为双名)

示例11:皮埃尔・孟戴斯-弗朗斯(“孟戴斯-弗朗斯”为复姓)

4.13.3.2 标示下列各种情况,一般用一字线,有时也可用浪纹线。

a) 标示相关项目(如时间、地域等)的起止。

示例1:沈括(1031—1095),宋朝人。

示例2:2011年2月3日—10日

示例3:北京—上海特别旅客快车

b）标示数值范围（由阿拉伯数字或汉字数字构成）的起止。

示例 4：25～30g

示例 5：第五～八课

4.14 间隔号

4.14.1 定义

标号的一种，标示某些相关联成分之间的分界。

4.14.2 形式

间隔号的形式为“·”。

4.14.3 基本用法

4.14.3.1 标示外国人名或少数民族人名内部的分界。

示例 1：克里丝蒂娜·罗塞蒂

示例 2：阿依古丽·买买提

4.14.3.2 标示书名与篇（章、卷）名之间的分界。

示例：《淮南子·本经训》

4.14.3.3 标示词牌、曲牌、诗体名等和题名之间的分界。

示例 1：《沁园春·雪》

示例 2：《天净沙·秋思》

示例 3：《七律·冬云》

4.14.3.4 用在构成标题或栏目名称的并列词语之间。

示例：《天·地·人》

4.14.3.5 以月、日为标志的事件或节日，用汉字数字表示时，只在一、十一和十二月后用间隔号；当直接用阿拉伯数字表示时，月、日之间均用间隔号（半角字符）。

示例 1：“九一八”事变　“五四”运动

示例 2：“一·二八”事变　“一二·九”运动

示例 3：“3·15”消费者权益日　“9·11”恐怖袭击事件

4.15 书名号

4.15.1 定义

标号的一种，标示语段中出现的各种作品的名称。

4.15.2 形式

书名号的形式有双书名号“《 》”和单书名号“〈 〉”两种。

4.15.3 基本用法

4.15.3.1 **标示书名、卷名、篇名、刊物名、报纸名、文件名等。**

示例1:《红楼梦》(书名)

示例2:《史记·项羽本纪》(卷名)

示例3:《论雷峰塔的倒掉》(篇名)

示例4:《每周关注》(刊物名)

示例5:《人民日报》(报纸名)

示例6:《全国农村工作会议纪要》(文件名)

4.15.3.2 标示电影、电视、音乐、诗歌、雕塑等各类用文字、声音、图像等表现的作品的名称。

示例1:《渔光曲》(电影名)

示例2:《追梦录》(电视剧名)

示例3:《勿忘我》(歌曲名)

示例4:《沁园春·雪》(诗词名)

示例5:《东方欲晓》(雕塑名)

示例6:《光与影》(电视节目名)

示例7:《社会广角镜》(栏目名)

示例8:《庄子研究文献数据库》(光盘名)

示例9:《植物生理学系列挂图》(图片名)

4.15.3.3 标示全中文或中文在名称中占主导地位的软件名。

示例:科研人员正在研制《电脑卫士》杀毒软件。

4.15.3.4 标示作品名的简称。

示例:我读了《念青唐古拉山脉纪行》一文(以下简称《念》),收获很大。

4.15.3.5 当书名号中还需要书名号时,里面一层用单书名号,外面一层用双书名号。

示例:《教育部关于提请审议〈高等教育自学考试试行办法〉的报告》

4.16 专名号

4.16.1 定义

标号的一种，标示古籍和某些文史类著作中出现的特定类专有名词。

4.16.2 形式

专名号的形式是一条直线，标注在相应文字的下方。

4.16.3 基本用法

4.16.3.1 标示古籍、古籍引文或某些文史类著作中出现的专有名词，主要包括人名、地名、国名、民族名、朝代名、年号、宗教名、官署名、组织名等。

示例1：孙坚人马被刘表率军围得水泄不通。（人名）

示例2：于是聚集冀、青、幽、并四州兵马七十多万准备决一死战。（地名）

示例3：当时乌孙及西域各国都向汉派遣了使节。（国名、朝代名）

示例4：从咸宁二年到太康十年，匈奴、鲜卑、乌桓等族人徙居塞内。（年号、民族名）

4.16.3.2 现代汉语文本中的上述专有名词，以及古籍和现代文本中的单位名、官职名、事件名、会议名、书名等不应使用专名号。必须使用标号标示时，宜使用其他相应标号（如引号、书名号等）。

4.17 分隔号

4.17.1 定义

标号的一种，标示诗行、节拍及某些相关文字的分隔。

4.17.2 形式

分隔号的形式是“/”。

4.17.3 基本用法

4.17.3.1 诗歌接排时分隔诗行（也可使用逗号和分号，见4.4.3.1/4.6.3.1）。

示例：春眠不觉晓/处处闻啼鸟/夜来风雨声/花落知多少。

4.17.3.2 标示诗文中的音节节拍。

示例：横眉/冷对/千夫指，俯首/甘为/孺子牛。

4.17.3.3 分隔供选择或可转换的两项,表示“或”。

示例:动词短语中除了作为主体成分的述语动词之外,还包括述语动词所带的宾语和/或补语。

4.17.3.4 分隔组成一对的两项,表示“和”。

示例1:13/14次特别快车

示例2:羽毛球女双决赛中国组合杜婧/于洋两局完胜韩国名将李孝贞/李敬元。

4.17.3.5 分隔层级或类别。

示例:我国的行政区划分为:省(直辖市、自治区)/省辖市(地级市)/县(县级市、区、自治州)/乡(镇)/村(居委会)。

5. 标点符号的位置和书写形式

5.1 横排文稿标点符号的位置和书写形式

5.1.1 句号、逗号、顿号、分号、冒号均置于相应文字之后,占一个字位置,居左下,不出现在一行之首。

5.1.2 问号、叹号均置于相应文字之后,占一个字位置,居左,不出现在一行之首。两个问号(或叹号)叠用时,占一个字位置;三个问号(或叹号)叠用时,占两个字位置;问号和叹号连用时,占一个字位置。

5.1.3 引号、括号、书名号中的两部分标在相应项目的两端,各占一个字位置。其中前一半不出现在一行之末,后一半不出现在一行之首。

5.1.4 破折号标在相应项目之间,占两个字位置,上下居中,不能中间断开分处上行之末和下行之首。

5.1.5 省略号占两个字位置,两个省略号连用时占四个字位置并须单独占一行。省略号不能中间断开分处上行之末和下行之首。

5.1.6 连接号中的短横线比汉字“一”略短,占半个字位置;一字线比汉字“一”略长,占一个字位置;浪纹线占一个字位置。连接号上下居中,不出现在一行之首。

5.1.7 间隔号标在需要隔开的项目之间,占半个字位置,上下居中,不出现在一行之首。

5.1.8 着重号和专名号标在相应文字的下边。

5.1.9 分隔号占半个字位置，不出现在一行之首或一行之末。

5.1.10 标点符号排在一行末尾时，若为全角字符则应占半角字符的宽度（即半个字位置），以使视觉效果更美观。

5.1.11 在实际编辑出版工作中，为排版美观、方便阅读等需要，或为避免某一小节最后一个汉字转行或出现在另外一页开头等情况（浪费版面及视觉效果差），可适当压缩标点符号所占用的空间。

5.2 竖排文稿标点的位置和书写形式

5.2.1 句号、问号、叹号、逗号、顿号、分号和冒号均置于相应文字之下偏右。

5.2.2 破折号、省略号、连接号、间隔号和分隔号置于相应文字之下居中，上下方向排列。

5.2.3 引号改用双引号“﹃”“﹄”和单引号“﹁”“﹂”，括号改用“︵”“︶”，标在相应项目的上下。

5.2.4 竖排文稿中使用浪线式书名号“＿”，标在相应文字的左侧。

5.2.5 着重号标在相应文字的右侧，专名号标在相应文字的左侧。

5.2.6 横排文稿中关于某些标点不能居行首或行末的要求，同样适用于竖排文稿。

附录二　中华人民共和国
国家通用语言文字法

（2000 年 10 月 31 日第九届全国人民代表大会常务委员会第十八次会议通过）

第一章　总　则

第一条　为推动国家通用语言文字的规范化、标准化及其健康发展，使国家通用语言文字在社会生活中更好地发挥作用，促进各民族、各地区经济文化交流，根据宪法，制定本法。

第二条　本法所称的国家通用语言文字是普通话和规范汉字。

第三条　国家推广普通话，推行规范汉字。

第四条　公民有学习和使用国家通用语言文字的权利。

国家为公民学习和使用国家通用语言文字提供条件。

地方各级人民政府及其有关部门应当采取措施，推广普通话和推行规范汉字。

第五条　国家通用语言文字的使用应当有利于维护国家主权和民族尊严，有利于国家统一和民族团结，有利于社会主义物质文明建设和精神文明建设。

第六条　国家颁布国家通用语言文字的规范和标准，管理国家通用语言文字的社会应用，支持国家通用语言文字的教学和科学研究，促进国家通用语言文字的规范、丰富和发展。

第七条　国家奖励为国家通用语言文字事业做出突出贡献的组织和个人。

第八条　各民族都有使用和发展自己的语言文字的自由。

少数民族语言文字的使用依据宪法、民族区域自治法及其他法律的有关规定。

第二章 国家通用语言文字的使用

第九条 国家机关以普通话和规范汉字为公务用语用字。法律另有规定的除外。

第十条 学校及其他教育机构以普通话和规范汉字为基本的教育教学用语用字。法律另有规定的除外。

学校及其他教育机构通过汉语文课程教授普通话和规范汉字。使用的汉语文教材,应当符合国家通用语言文字的规范和标准。

第十一条 汉语文出版物应当符合国家通用语言文字的规范和标准。

汉语文出版物中需要使用外国语言文字的,应当用国家通用语言文字作必要的注释。

第十二条 广播电台、电视台以普通话为基本的播音用语。

需要使用外国语言为播音用语的,须经国务院广播电视部门批准。

第十三条 公共服务行业以规范汉字为基本的服务用字。因公共服务需要,招牌、广告、告示、标志牌等使用外国文字并同时使用中文的,应当使用规范汉字。

提倡公共服务行业以普通话为服务用语。

第十四条 下列情形,应当以国家通用语言文字为基本的用语用字:

(一) 广播、电影、电视用语用字;

(二) 公共场所的设施用字;

(三) 招牌、广告用字;

(四) 企业事业组织名称;

(五) 在境内销售的商品的包装、说明。

第十五条 信息处理和信息技术产品中使用的国家通用语言文字应当符合国家的规范和标准。

第十六条 本章有关规定中,有下列情形的,可以使用方言:

(一) 国家机关的工作人员执行公务时确需使用的;

(二) 经国务院广播电视部门或省级广播电视部门批准的播音用语;

(三) 戏曲、影视等艺术形式中需要使用的;

(四) 出版、教学、研究中确需使用的。

第十七条　本章有关规定中，有下列情形的，可以保留或使用繁体字、异体字：

(一) 文物古迹；

(二) 姓氏中的异体字；

(三) 书法、篆刻等艺术作品；

(四) 题词和招牌的手书字；

(五) 出版、教学、研究中需要使用的；

(六) 经国务院有关部门批准的特殊情况。

第十八条　国家通用语言文字以《汉语拼音方案》作为拼写和注音工具。

《汉语拼音方案》是中国人名、地名和中文文献罗马字母拼写法的统一规范，并用于汉字不便或不能使用的领域。

初等教育应当进行汉语拼音教学。

第十九条　凡以普通话作为工作语言的岗位，其工作人员应当具备说普通话的能力。

以普通话作为工作语言的播音员、节目主持人和影视话剧演员、教师、国家机关工作人员的普通话水平，应当分别达到国家规定的等级标准；对尚未达到国家规定的普通话等级标准的，分别情况进行培训。

第二十条　对外汉语教学应当教授普通话和规范汉字。

第三章　管理和监督

第二十一条　国家通用语言文字工作由国务院语言文字工作部门负责规划指导、管理监督。

国务院有关部门管理本系统的国家通用语言文字的使用。

第二十二条　地方语言文字工作部门和其他有关部门，管理和监督本行政区域内的国家通用语言文字的使用。

第二十三条　县级以上各级人民政府工商行政管理部门依法对企业名称、商品名称以及广告的用语用字进行管理和监督。

第二十四条　国务院语言文字工作部门颁布普通话水平测试等级标准。

第二十五条　外国人名、地名等专有名词和科学技术术语译成国家通用语言文字，由国务院语言文字工作部门或者其他有关部门组织审定。

第二十六条　违反本法第二章有关规定，不按照国家通用语言文字的规范和标准使用语言文字的，公民可以提出批评和建议。

本法第十九条第二款规定的人员用语违反本法第二章有关规定的，有关单位应当对直接责任人员进行批评教育；拒不改正的，由有关单位作出处理。

城市公共场所的设施和招牌、广告用字违反本法第二章有关规定的，由有关行政管理部门责令改正；拒不改正的，予以警告，并督促其限期改正。

第二十七条　违反本法规定，干涉他人学习和使用国家通用语言文字的，由有关行政管理部门责令限期改正，并予以警告。

第四章　附　则

第二十八条　本法自 2001 年 1 月 1 日起施行。

索 引

（说明：术语按音序排列，“上”指本套教材上册，“下”指教材下册。）

后　记

我与“现代汉语”有缘。1951年于中山大学研究生毕业留校任教，王力、岑麒祥两位老师就分配我参加新课程“现代汉语”的教学工作。回忆我1946年在全国唯一的语言学系——中山大学语言学系读书，当时就没听说过哪个学校有“现代汉语”这门课，图书馆里也找不到这样名称的教材或讲义。当时向苏联学习，向“现代俄语”课程学习，一边上课，一边在系主任兼语法教研组组长王力先生的指导下，参加编写了第一部《现代汉语》讲义。至今六十余年，我的研究精力大都花在“现代汉语”课程和教材的建设上。

1954年我到北京大学中文系工作之后，王力先生安排我教汉语专业“现代汉语”课。他叫我把在中山大学跟几位老师合编的《现代汉语》讲义整理油印出来，之后给教育部拿去交流。后来，教育部指定北京大学、中山大学和山东大学三所大学制定全国高校“现代汉语”教学大纲，我有幸参加了周祖谟先生主持的这一教学大纲的讨论会。1958年调到兰州大学工作，我又带领部分师生根据这个大纲编出《现代汉语》讲义。到了我国改革开放开始时，我参加全国高校“现代汉语”协作教材会议，我和廖序东被推举为“现代汉语”教材（第一方案）的正副主编，主持编出《现代汉语》统编教材（后称“黄廖本”），也大体根据这个大纲。1979年出版，至今修订了九次，发行量达500多万部，三十多年来“黄廖本”长盛不衰，出乎我的意料！

有了“黄廖本”教材，为什么还要再编这部新编的《现代汉语》呢？首先是由于我对现有教材的质和量仍未满足，希望在新编的教材里，打破三十多年前旧框架的限制，试着实现我的教材改革的理想，其次是为了应中山大学中文系和北京大学出版社的诚邀，报答母校的培育之恩。以前主编的《现代汉语》教材以培养中文本科专业或语言研究者为主要目标，着重于语言学意义上的知识传授。现在教育形势发生变化，大学本科培养“通才”而非“专才”，因而教材编写的思路必须转变。“现代汉语”课不仅要解释汉语，更应该是进行母语教育。对于我这把年纪来说，要实现新教材的编写设想而找个好班子，的确不是一件很容易的事。所幸的是，以母校的编写团队为骨干的编写班子很快组成，大家统一认识，形成合力，斯抵于成。在观点方面，他们贯彻我编教材的新主张，也提出不少跟“黄廖本”不同的新设想，我采用了不少。

可能有人问：“你推介《现代汉语》新编本，是不是不要旧本了？”

我说不是的。打个比方吧，有个老人有两个儿子，长子年过而立，已经闻名全国，且独占鳌头。幼子新生，也像长子幼年一样，需要多关照、呵护，也希望他长大以后像其兄长一样，为国家做出更大的贡献，甚至超过兄长，后来居上，也是常情。

经过两年多的努力，现在教材定稿出来了，这是一个新生事物，新生事物是否受欢迎需要由读者来评价，这要靠市场来检验。新编本《现代汉语》是否很理想呢？我个人认为，她是很不错的，不过也还有改进的空间，比如“课程延伸内容”，延伸内容的量应该有多少，什么样的内容放在这里才合适，都有待教学实践的检验，然后不断地完善。

末了，我要感谢编写团队的所有成员，他们在编写过程中，听从指挥，全力投入，付出了艰苦的劳动。我要感谢我的母校中山大学和母系中文系领导，他们对本教材编写工作，给予了人力、财力、物力的全方位支持。可以说，母校母系是这一工程的基础平台。还要感谢北京大学出版社领导和王飙、杜若明两位先生的支持，他俩是高水平的专业人士，有他们参与编辑的工作，保证了本书质量。

这两年来，由于新旧两部教材的编写、修订工作同时进行，我经常对着电脑，不按时作息，大大干扰了老伴的休息。她见我比退休前还忙碌，担心我的健康，睡不好，夜半高声叫我休息。卧室离电脑室远，我因此买了个货郎鼓给她摇，以免她力竭声嘶。幸好后代都来帮我。三女儿绮仙成了我身边的秘书、保姆和守护人，远在兰州的小女儿薇薇也通过电邮帮我打字，第三代陈树强等三人也帮我制图、打字，减轻我的一部分负担。就这样，我的新编审改工作仍有不足，有些章节还未能细看。好在有中山大学、暨南大学以李炜教授为首的中青年博士们，他们年富力强，在新编交稿前苦战了近百个昼夜，使本教材保质保量，如期出版。

在此，我对以上帮助我完成工作的领导、编者、朋友和亲人表示衷心的感谢！

黄伯荣

2012年2月

北京大学出版社语言学教材方阵

博雅21世纪汉语言专业规划教材：专业基础教材系列

现代汉语（上）　黄伯荣、李炜主编

现代汉语（下）　黄伯荣、李炜主编

现代汉语学习参考　黄伯荣、李炜主编

语言学纲要（修订版）　叶蜚声、徐通锵著，王洪君、李娟修订

语言学纲要（修订版）学习指导书　王洪君等编著

语言学概论　陈保亚、杜兆金著

古代汉语（上）　张联荣、刘子瑜、赵彤编著

古代汉语（下）　张联荣、刘子瑜、赵彤编著

古代汉语　邵永海主编（即出）

古代汉语阅读文选　邵永海主编（即出）

古代汉语常识　邵永海主编（即出）

博雅21世纪汉语言专业规划教材：专业方向基础教材系列

语音学教程（增订版）　林焘、王理嘉著，王韫佳、王理嘉增订

实验语音学基础教程　孔江平编著

现代汉语词汇学教程　周荐著

简明实用汉语语法教程（第二版）　马真著

当代语法学教程　熊仲儒著

修辞学教程（修订版）　陈汝东著

汉语方言学基础教程　李小凡、项梦冰编著，项梦冰修订

语义学教程　叶文曦著

新编语义学概要（修订版）　伍谦光编著

语用学教程(第二版)　索振羽编著

语言类型学教程(第二版)　金立鑫、陆丙甫主编

新编社会语言学概论　祝畹瑾主编

计算语言学教程　詹卫东编著(即出)

音韵学教程(第五版)　唐作藩著

音韵学教程学习指导书　唐作藩、邱克威编著

训诂学教程(第三版)　许威汉著

校勘学教程　管锡华著

文字学教程　喻遂生著

汉字学教程　罗卫东编著(即出)

文化语言学教程　戴昭铭著(即出)

历史句法学教程　董秀芳著(即出)

汉语韵律语法教程　冯胜利、王丽娟著

博雅21世纪汉语言专业规划教材:专题研究教材系列

现代汉语语法研究教程(第五版)　陆俭明著

汉语语法专题研究(增订版)　邵敬敏等著

现代汉语词汇(重排本)　符淮青著

新编语用学概论　何自然、冉永平编著

现代实用汉语修辞(修订版)　李庆荣编著

汉语语音史教程　唐作藩著

近代汉语研究概要　蒋绍愚著

汉语白话史　徐时仪著

说文解字通论　黄天树著

实验语音学概要(增订版)　鲍怀翘、林茂灿主编

语法分布描写方法与案例　金立鑫编著

外国语言学简史　李娟编著(即出)

甲骨文选读　喻遂生编著(即出)

商周金文选读　喻遂生编著(即出)

汉语语音史教程(第二版)　唐作藩著

音韵学讲义　丁邦新著

音韵学答问　丁邦新著

博雅西方语言学教材名著系列

语言引论(第八版中译本)　弗罗姆·金等著,沈家煊等译

语音学教程(第七版中译本)

彼得·赖福吉等著,张维佳、田飞洋译

语音学教程(第七版影印本)　彼得·赖福吉等著

方言学教程(第二版中译本)　J. K. 钱伯斯等著,吴可颖译

构式语法教程(影印本)　马丁·休伯特著

构式语法教程(中译本)　马丁·休伯特著,张国华译